Beatrice Eichmann-Leutenegger

DER MANN AUS DER ARKTIS

Beatrice Eichmann-Leutenegger

DER MANN AUS DER ARKTIS

Fragmente einer Liebesgeschichte

pendo

Beatrice Eichmann-Leutenegger, in Schwyz geboren, lebt mit ihrer Familie als Literaturkritikerin und Referentin in Muri bei Bern. Ihre Beiträge erscheinen in der «Neuen Zürcher Zeitung», in «Der Bund», in der «Neuen Luzerner Zeitung», in der Zeitschrift «Orientierung» und im ORF (Funk). Schwerpunkt ihrer Auseinandersetzung ist die deutsch-jüdische Literatur. Von ihr erschienen 1993 «Gertrud Kolmar. Leben und Werk in Texten und Bildern» (Jüdischer Verlag im Suhrkamp Verlag) und 1994 die Erzählungen «Verabredungen mit Männern» (pendo-verlag).

Autorin und Verlag danken folgenden Institutionen für die Unterstützung dieses Buches: Präsidialdirektion der Stadt Bern, Erziehungsdirektion des Kantons Bern und Regierungsrat des Kantons Schwyz.

Typografie: Bernhard Moosbrugger
Satz: Fosaco AG, CH-8363 Bichelsee
Druck und Einband: Kösel GmbH, Kempten

ISBN 3 85842 309 1

Inhalt

Prolog

Blitze schlagen plötzlich ein, ohne Vorbereitung. Sie suchen auf der Erde einen Punkt und jagen zielstrebig auf ihn los. Hält sich ein Mensch ausgerechnet an diesem Punkt auf, kann er sich nicht entziehen. Er duckt sich wohl, legt wie schützend die Arme um den Kopf, aber es hilft ihm nichts, der Blitz saust durch ihn hindurch, streckt ihn nieder. Man unterscheidet zwischen Linienblitzen, Perlschnurblitzen und Kugelblitzen. Die ersteren sind häufig, die letzteren sehr selten. Doch tut dies nichts zur Sache. Blitz ist Blitz.

«Wie weit ist es von einem Mann zu einer Frau . . .»

Kurt Tucholsky, Schloss Gripsholm

I

Der Brief

Mitten im Sommer, als die Gewitter sich häuften, hatte sie einen Brief aus dem Ausland erhalten, aus der Stadt am Fluss. Der Name des Absenders war ihr nicht bekannt. Es meldete einer, dass er Gedichte schreibe, auf einer deutschen Sprachinsel zudem, was die Situation nicht eben erleichtere, und er fragte, ob sie seinen neuesten Band besprechen könne. Solche Anfragen erhielt sie immer wieder, längst nicht nur zu ihrem Vergnügen. Viele dieser Autoren waren nicht nur hartnäckig, sondern auch eine Spur eitel; sie zählten die Liste ihrer Werktitel auf, schoben Zitate aus lobenden Rezensionen ein, nannten zustimmende Äusserungen des bekannten Schriftstellers X und des Kritikers Y, um die Adressatin sozusagen gefügig zu machen, was bei ihr sehr oft das Gegenteil bewirkte. Sie fühlte sich dann bedrängt, reagierte mürrisch und griff auch einmal zu Ausreden. Der Brief, der vor ihr lag, war anders als die anderen. Er war knapp, trug die Frage unaufdringlich vor, so dass er ihre Freiheit nicht antastete. Am Schluss merkte der Absender noch an, er sei Arzt und leite eine Universitätsklinik.

Ihre Freiheit nahm sie sich denn auch heraus, schrieb im Antwortbrief, sie wolle erst einmal die Gedichte lesen, sich ein Urteil bilden und erst dann entscheiden, ob sie eine Rezension schreibe oder nicht. Er müsse also auch mit einer Absage rechnen.

Der Augenblick war für eine konzentrierte Lektüre zwar nicht günstig, zu viel Unerledigtes türmte sich auf ihrem Schreibpult, das sie sich am liebsten leer dachte, leer wie eine Wüste – nichts als Himmel, Sand und Weite –, aber dieser Zustand stellte sich nie ein. Und jetzt noch diese Gedichte, die aus der Stadt am Fluss eintreffen sollten. Dennoch hatte sie sich bereits darauf eingelassen, zurücktreten konnte sie nicht mehr ohne Grund, aber warum nur hatte sie in ihrem Brief nicht dargelegt, dass sie «im gegenwärtigen Moment mit dringenden Arbeiten überlastet» sei. Sie wurde aus sich selbst nicht klug, war dann auch beinahe froh, dass zwei, drei Wochen verstrichen, ohne dass der Gedichtband eintraf. Als die Post ein Bücherpaket brachte, hatte sie die Geschichte fast vergessen. Nun lag der Band in ihrer Hand. Zuerst fiel ihr Blick auf den Titel: ein schöner Titel war's, schön nicht im vordergründigen Sinn, dies keineswegs, denn er sprach von Schmerz, aber schön in seiner poetischen Bedeutung. Er verknüpfte Schmerz mit Musik, indem der Autor eine eigenwillige Wortkomposition wagte. Beklommen öffnete sie das Buch, flog zuerst über die Seiten hinweg, packte manchmal die Zipfel einzelner Wörter, begann dann zu lesen, liess die Wörter in Bilder münden, folgte den Zeilen, erspürte den Rhythmus, einen leise pochenden, aber beharrlichen Taktschlag, als ob da einer ginge, immer ginge, von Unruhe vorwärtsgetrieben, aber er sank ja, sank ab, sank hinunter. Und am Schluss der Abgrund.

Inhalte setzten sich bei ihr vorerst nicht fest, nur die Ahnung, dass hier jemand aus einer Einsamkeit heraus schreibe, dass er sehr gut schreibe, ja über ein Instrument verfüge, das ihn über andere hinaushob. Ein ganz eigener Ton erklang, aber auch einer, den sie von fern schon einmal vernommen hatte. Namen fielen ihr ein, sie verwarf sie sofort wieder, wollte sich nur auf diese Gedichte einstellen. Und da geschah es: Sie wusste plötzlich, dass sie über diese Texte schreiben wollte, schreiben *musste.* Nichts und niemand würde sie daran hindern. Unwiderstehlich war der

Anruf, der sie aus diesen Gedichten erreichte, und schon begannen sich in ihr Meinungen zu formen, Vermutungen stiegen auf, auch einzelne Formulierungen. Alles liess sie liegen, wog dafür diese Gedichte in ihrer Hand, die von einem einzigen Atem getragen schienen. Hier waren nicht diese willkürlichen Arrangements von Versen, die sie verabscheute; das war ein einziger Schmerzenskörper, der sich ihr darstellte und sich ihr gleichzeitig entzog, weil er von so vielem schwieg.

Nochmals nahm sie das Bild hervor, das der Verlag der Sendung beigelegt hatte. Der Autor erschien darauf hager, ernst, mit kantigen Gesichtszügen, die Haut vermutlich braun gebrannt. Und – wenn sie ehrlich sein wollte: eher abweisend, ohne Lächeln, dafür nicht frei von sportlicher Tüchtigkeit. Sie sehen aus wie ein Arktisfahrer, sprach sie zum Mann auf dem Bild. So habe ich mir als Kind einen Entdecker wie Fridtjof Nansen vorgestellt: zäh, ausdauernd, tapfer, wortkarg. Kein Mann zum Anfassen, keiner, mit dem man spielen, tollen oder albern konnte. Der verfolgte unbeirrt sein Ziel, war vielleicht rücksichtslos, ungeübt in den Gesten der Zärtlichkeit, dem Vokabular der Zuneigung. Im Lexikon des Grossvaters war nachzulesen, dass Nansen 1861 in der Nähe von Kristiania, dem heutigen Oslo, geboren wurde. Wahrscheinlich verstand er sich früh aufs Durchhalten, auf Selbstdisziplin. Verwöhnung und Verweichlichung waren für ihn Fremdwörter. 1882 bereits, im Alter von einundzwanzig Jahren, unternahm er seine erste Reise ins Eismeer, zusammen mit dem Seehundsfänger Viking. Vom Nordkap aus, dem nördlichsten Punkt Europas, sah er vor sich das sagenumwobene arktische Meer. Es hatte ihn gerufen, schon seit langem, unwiderstehlich. Und er folgte diesem Ruf, verlor sich darin, zusammen mit der Viking. Die

Stationen ihrer Reise waren nicht genau bekannt: vielleicht der Archipel von Spitzbergen, vielleicht König-Karlsland, Franz-Josephsland oder die Einsamkeitsinsel?

Vielleicht wagte sich auch dieser Autor, «der Arktisfahrer», in die Eiswüsten der Seele vor. Aber irgendwann verwarf sie manche ihrer Mutmassungen und hielt sich daran, dass das lyrische Ich nicht mit der Person des Autors identisch sein musste. Beinahe beruhigt wandte sie sich ihrer Arbeit zu, schrieb die Rezension und sandte sie etwas später an die Zeitschrift ab.

Die erste Reise

Einige Monate verstrichen, ehe die Rezension erschien. Wenn sie es sich ehrlich zugestand, wartete sie danach auf ein Echo aus der Stadt am Fluss. Tatsächlich traf eine Briefkarte ein. Diesmal in Handschrift, in einer feinen, eher kleinen Schrift, von der sie glaubte, sie habe sie schon einmal irgendwo gesehen. Auf jeden Fall gefiel sie ihr. Auch war der Name nicht auffallend unten hingesetzt, sondern ins Ganze eingefügt, und den Raum hatte der Schreiber wohlproportioniert gestaltet. Er dankte ihr für die Besprechung, nannte diese «verständnisvoll wie keine zuvor». Es waren vier, fünf Zeilen, mehr nicht. Was sie wie ein Blitz traf, war der Satz, den er nach seiner Unterschrift noch hingesetzt hatte, als Postscriptum: «Gott gebe, dass ich Sie einmal sehe.»

Der Satz war verrückt, fiel aus dem übrigen Text, der so gefasst war, heraus. Sie beschloss, den Wunsch des Schreibers zu erfüllen. Abzuwarten bis Gott es zuliess, fiel ihr gar nicht ein. Das konnte viel zu lange dauern, und sie war ungeduldig. Rasch nahm sie Kontakt mit ihrem Reisebüro auf und liess sich in der Stadt am Fluss eine Unterkunft vorschlagen: mitten im Zentrum, ein traditionsreiches Haus. An den Autor der Gedichte schrieb sie indessen, dass sie Ende November einen Kurzaufenthalt in seiner Stadt einlegen werde. Beiläufig schrieb sie dies hin, als ob sie nicht eigens seinetwegen hinführe.

Rasch kam eine Briefkarte zurück, der Inhalt wiederum knapp, aber etwas hatte sich ereignet. Der Ton klang anders, verjüngter. Gleich mit einem Ausruf setzte der Brief ein: «Wie ich mich freue . . .» Dass er seine Telefonphobie überwinden wolle, um mit ihr die näheren Modalitäten des Treffens zu vereinbaren, schrieb er nachher in etwas ruhigerer Tonlage.

Ihr war nicht ganz geheuer im Hinblick auf dieses angekündigte Telefongespräch, und so zuckte sie denn auch in den folgenden Tagen bei jedem Anruf zusammen. Um etwas gewappnet zu sein, hatte sie sich bereits einen Treffpunkt und die genaue Uhrzeit überlegt: abends neunzehn Uhr beim Empfang ihres Hotels.

Da klingelte es mitten in ihre Lektüre hinein, nachmittags um drei. Ihre Seele weilte noch ganz woanders, in einem Land, in einer Geschichte, wohin sie das Buch entführt hatte, und da sollte sie sich also rasch umstellen. Doch kamen die Umstände ihrer Schwerfälligkeit etwas entgegen: Nicht er selbst rief an, sondern eine Sekretärin der Klinik, die sagte, dass sie gleich mit «dem Herrn Professor» verbinden wolle.

Munter meldete sich eine männliche Stimme: Na, wie steht's mit uns beiden? Aber das konnte natürlich ein Vertuschungsmanöver sein, um die innere Erregung zu verbergen. Sie kannte diesen Trick. Dennoch: es musste sich nicht unbedingt so verhalten; der Arktisfahrer konnte entgegen ihren Vermutungen ein unkomplizierter Mensch sein, der solch forsche Sätze ganz spontan in den Apparat hineinschickte. Halbherzig versuchte sie, auf diesen Ton einzugehen. Es gelang ihr schlecht. Zu sehr schoben sich die Gedichte ins Bewusstsein, sie glaubte die Stimme zu hören, die vom Schattenauge sprach, während sie ihm das Datum ihrer Ankunft und den möglichen Treffpunkt nannte: neunzehn Uhr beim Empfang ihres Hotels. Er war sofort einverstanden, kein Zögern, nichts, und er bemerkte noch, dass er pünktlich erscheinen werde, sofern er nicht vorher dahingerafft würde. Dann klickte es im Telefonhörer.

Zwei Tage, bevor sie die Reise antrat, schlug das Wetter um. Die Temperaturen sanken jetzt, Ende November, unter den Nullpunkt, und ein Eiswind fegte. Es war verrückt: Während in einigen Teilen der Erde Kältestürme zahlreiche Erfrierungsopfer forderten, herrschte in anderen Teilen zu Unzeiten hochsommerliche Hitze. Fast schien es, als ob Hitze und Kälte miteinander im Kampf lägen. Auf jeden Fall besorgte sie sich einen Hut und packte Wollsachen in den Koffer. Für ihre Familie schrieb sie das übliche Blatt mit den Anweisungen: dass der Briefkasten zu leeren sei, die Pflanzen gegossen werden müssten, die Katzen pünktlich fressen wollten und die Kinder die Aufgaben zu erledigen hätten. Dazu auch noch einige Menuvorschläge für ihren Mann, der nun das Kochen übernahm: lauter kleine Mahlzeiten mit kurzer Kochdauer. Odysseus am Herd, lachte sie, als sie ihm die Liste überreichte. Er ging auf den Spott nicht ein, meinte aber, sie, seine Penelope, die Schweifende, solle wieder heil nach Ithaka zurückkehren.

Im Zugsabteil, das sie morgens um sieben betrat, herrschte vorerst noch wohlige Wärme, aber schon nach einer Stunde Fahrt hegte sie die Vermutung, mit der Heizung könne etwas nicht stimmen. Es wurde kühler und kühler. Die Sitznachbarn bestätigten ihr Gefühl, und zusammen zogen sie in einen der vorderen Waggons um, wo sie, zum Glück, noch genügend freie Plätze fanden. Da fuhr sie nun während Stunden dahin, fuhr an Seen, Wiesen und Industriezonen vorbei, fuhr über Grenzen. Die Bahn stieg in die Höhe, Flüsse lagen unter ihr, hoch oben die Bergspitzen, steile Wände aus Schnee, Fels und Eis – keine liebliche Landschaft, sondern eine Region der Kälte. Doch nach und nach drang die Sonne durch die Wolken, und als die Bahn wieder in die Täler hinunterglitt, wurde die Landschaft freundlicher. Häuser gab es wieder, bald einmal Dörfer, kleinere Städte, und gegen Abend sollte sie die Stadt am Fluss erreichen.

Sie döste vor sich hin, bis die Nachbarin sie weckte. Eben hatte der Lautsprecher gemeldet, dass die Bahn in wenigen Minuten in der Stadt am Fluss eintreffen werde. Man begann die Mäntel anzuziehen und die Gepäckstücke einzusammeln. Viele stellten sich wartend im Zugskorridor auf, um rechtzeitig die Bahn verlassen und die Anschlüsse erreichen zu können. Sie selbst wurde von der allgemeinen Unruhe mitgerissen. Sie schnupperte.

Die Stadt

Der Eintritt in die Stadt gestaltet sich pompös. Man schreitet durch eine Triumphpforte, die einst für eine fürstliche Hochzeit errichtet worden ist. Doch zwingt das Tor zum Innehalten und Nachdenken, denn die Südseite trägt Symbole des Lebens und der Freude, die Nordseite aber solche von Tod und Trauer. Der Vater des Bräutigams war während der Festlichkeiten unerwartet gestorben, und so hatte man die Nordseite der Pforte, deren Ausstattung noch offenstand, mit der Trauer angemessenen Schmuckelementen versehen. Leben und Tod, Amor und Sensenmann kehren einander den Rücken und sind doch unauflöslich miteinander verbunden.

Es gebe lediglich drei Tage im Jahr, an denen in dieser Stadt kein Wind blase, hatte ihr eine Mitreisende verraten. Entweder sei es die kalte, trockene Bora oder der schwüle Südwind. Natürlich hatte sie keinen der drei sturmfreien Tage erwischt, und gleich zerzauste ein Windstoss ihr Haar, als sie aus der Bahnhofshalle trat. Sie hätte ein Taxi nehmen können, aber sie wollte die Stadt bei der Premiere zu Fuss entdecken, die Verästelungen erkunden, nicht nur die Hauptadern. Sie wollte die Stadt am Fluss gleichsam durch die Hintertür betreten, schlug daher einen Bogen um die Triumphpforte und drang ins alte Zentrum, das Herz, durch eine der schmalen Gassen, welche vom Ring ausstrahlen. Eine dunkle Gasse war es, die Dämmerung schlug um sie, und sie war angekommen: im Schattenreich seiner Gedichte.

Schneeflocken begannen zu fallen, dichter und dichter, Flaum legte sich auf Flaum, während durch die Luft das Gestöber wirbelte. Und aus diesem Gestöber würde sich bald eine Gestalt lösen, würde auf sie zutreten. Noch aber war Stille, die Stille des ersten Schnees.

Beim Empfang des Hotels füllte sie den Schein mit ihren Personalien aus, nahm den Schlüssel entgegen und stieg die Treppe zu ihrem Zimmer hinauf. Wollen Sie nicht den Aufzug nehmen? rief ihr die Empfangsdame nach, aber sie wehrte ab, meinte, nach dem stundenlangen Sitzen schade Bewegung nicht. Als sie das Zimmer aufschloss, den Lichtschalter betätigte und dabei auf die Uhr blickte, merkte sie plötzlich, dass ihr eigentlich nur noch wenig Zeit bis zur Ankunft des Arktisfahrers blieb. Sie hatte die Verabredung zu knapp angesetzt. Selber schuld, schalt sie sich und zog sich schleunigst um, warf auch noch einen Blick in den Spiegel. Als sie die knarrende Treppe zum Empfang wieder hinunterstieg, hörte sie ihren Namen nennen. Das konnte nur er sein. Er hatte sich also auf die Minute genau eingefunden, war nicht vorher dahingerafft worden. Er war tatsächlich da. Den dunkelblauen Mantel trug er offen, was den Eindruck salopper Eleganz wachrief, und um den Hals schlang sich ein helles Foulard, das sie an die Sänger der Staatsoper erinnerte, die ja immer, selbst zur Sommerszeit, mit einem seidenen Tuch um den Hals dahineilten, um die Stimme zu schonen. Was ihr wieder durch den Kopf lief! Ausgerechnet jetzt, da sie alles auf einen Punkt hätte richten wollen. Diesen Punkt, der dort vor ihr aufleuchtete, mitten in seinen Augen sass, sich nicht bannen liess, nicht zügeln. Es ist wunderbar, dass Sie gekommen sind, liebe gnädige Frau, sprach die Stimme, aber ich bin furchtbar aufgeregt, müssen Sie wissen. Der Mann, den sie insgeheim Arktisfahrer genannt hatte, hielt mit sichtlich nervösen Fingern eine Zigarette, aber in seinen Augen lachte der Schalk auf, als er wiederholte: Unglaublich aufgeregt.

Sie blieb mit dem Blick an seiner Gestalt hängen. Der Mann schien, gross und schlank, seinem Alter nicht zu entsprechen – immerhin ging er auf die siebzig zu, wie sie dem Verlagsprospekt entnommen hatte –, denn in seinen Augen steckte ein schelmisches Lachen, etwas, was Kühnheit und Unternehmergeist versprach. Vor allem aber war es sein Haar, was sie an einen jüngeren Mann denken liess. Unglaublich mutete es sie an, dass der Mann dieses helle Blond bis in seine Jahre hinein bewahrt hatte, ein Blond, das sie nach den nördlichen Ländern, bis hin zur Arktis schweifen liess. Dieses Blond war irritierend, war die reine Zauberei.

Kommen Sie, sagte sie, wir essen eine Kleinigkeit im Restaurant des Hauses. Ich bin nach der langen Reise sehr hungrig.

Die Eröffnung

Er ass wenig und behutsam. Sie hingegen genoss mit Appetit die Suppe, Fleisch und Gemüse und freute sich darüber, dass der Arktisfahrer nicht zur Spezies der unsympathischen und unansehnlichen Menschen gehörte. Dies alles hatte sie vorher nicht wissen können, und wie oft war es schon passiert, dass sie auf eine Verabredung mit einem unbekannten Menschen eingegangen war, aber am liebsten in einem Mauseloch verschwunden wäre, als der oder die mit ihr Verabredete auf sie zugetreten war.

Er sagte, dass er sie gern zu Hause empfangen hätte, dass dies aber während ihres Aufenthaltes in dieser Stadt gar nie möglich sein werde. Sie blickte ihn fragend an, legte Messer und Gabel nieder. Er zögerte, ehe er weiterfuhr. Seine Gattin sei krank, schwer krank. Und er nannte den Namen der Krankheit: eine manisch-depressive Psychose. Eben sei sie wieder in die manische Phase gefallen.

Sie konnte sich unter der manischen Phase wenig vorstellen, konnte erst später erahnen, worin das Manische bestehen mochte, wie es sich auf die Umwelt auswirkte. Dass ein verrückter Bewegungs- und Aktivitätsdrang über die Patientin kam, dass sie uferlos redete, alle Hemmungen vergass, Wut und Eifersucht, Hass und Verfolgungsdrang rückhaltlos zuliess, dass sie wie besessen einkaufen, waschen und putzen konnte, immer von neuem, weil sie mit dem Resultat nie zufrieden war, dass sie für die Zubereitung einer Mahlzeit einen irrsinnigen Aufwand trieb, so dass die Küche in ein Chaos versank, dass sie ferner keinen Menschen ihrer Umgebung in Ruhe liess, dass sie beständig über die anderen wachte. Und immer ein

Drang ins Masslose, ins fieberhaft Gesteigerte. Und eine Unrast, die sich auf den anderen übertrug, ihn peinigte.

Stockend erzählte er ihr von seinen Massnahmen: Er musste sich abschirmen, wollte er überleben. Er zog sich in eine rabiate Isolation zurück. Wurde zum Mönch, zum Eremit in der gemeinsamen Wohnung. Die Trennung führte mitten durchs Appartement: auf der einen Seite Aufruhr, auf der anderen Seite Stille, hier die Chaotin, dort der Fanatiker der Einsamkeit, wie er sich nannte. Am liebsten hätte er sich in einen Turm zurückgezogen, doch dann hätte er sich noch mehr von den Menschen entfernt. Schon so, in dieser Wohnung mit ihrem Trennungsstrich lebend, hatte er kaum mehr Besuche. Seine Frau vertrieb sie, und wenn trotzdem ein Gast eindrang, musste er, der Hausherr, ständig in der Furcht leben, es geschehe wieder etwas höchst Peinliches, was sich in der Stadt herumsprechen konnte. Denn die Stadt hatte Ohren, sehr feine Ohren sogar, und sie hatte einen Mund, manchmal einen recht losen Mund.

So lebte er einsam dahin, nannte das Haus sein Nichtheim, und wenn er, der in der Abkapselung immerhin eine traurige Meisterschaft erreicht hatte, die gespannte Atmosphäre nicht mehr ertrug (denn die Verwünschungen der Gattin drangen durch die Mauern, in beharrlich bösen Schwingungen setzten sie sich fort, bis zu ihm hinüber), ja, wenn er dies alles nicht mehr ertrug, schloss er leise hinter sich die Tür und stahl sich hinweg. Stahl sich aus dem eigenen Haus, seinem Nichtheim eben, hinaus in die Stadt, liess die Gasse, in der sich die Tobsucht niedergelassen hatte, hinter sich. Er wusste: Die Hölle war nicht in einer anderen Welt, sie war hier.

Vor ihm ziehe dann der Fluss dahin, erzählte er; die Häuser, die ihn säumten, in verschiedenen Farbtönungen gestrichen, die Glocken, die vom alten Stadtteil herüberklangen, die Berge in der Ferne, dies alles, dies Bild seiner Stadt, könne ihn erquicken. Aber er müsse zuerst einmal tief durchatmen, auch wenn es ihm kaum gelingen wolle. Das Herz schlage in solchen Momenten wie verrückt; das sei schon kein Klopfen mehr, sondern ein Dröhnen. Er denke an die Last der Jahre, all dieser Jahre, an das Herz und an die Müdigkeit. Als Herzchirurg sei er zuständig für Herzensangelegenheiten – er lachte bitter auf –, und doch könne er sich selbst nicht helfen. Ein Witz sei's, einer dieser sinnlosen Witze, mit denen das Leben zu scherzen beliebe.

Bedachtsam ass er zu Ende. Er war ein noch langsamerer Esser als sie, stellte sie fest. Magenresectio, fügte er erklärend bei. Was hinter dieser Magenresektion stecken mochte, konnte sie jetzt, da sie einen kleinen Teil seiner Geschichte kannte, ahnen. Sie verbot sich aber weitere Fragen, lenkte das Gespräch in eine andere Richtung. Jenen letzten Satz in seinem Brief erwähnte sie: Gott gebe, dass ich Sie einmal sehe.

Ja, das sei ein verrückter, geradezu ein dreister Satz gewesen, bemerkte er, und seine Stimme senkte sich. Er habe sich nachher selbst deswegen gerügt. Aber – warum denn, fuhr sie auf; gerade dieser Satz sei es gewesen, der sie in die Stadt geführt habe; sie habe gedacht, sie wolle dem lieben Gott ein bisschen nachhelfen.

Sagen Sie zu IHM nicht «lieber Gott», ich hasse alle religiösen Verniedlichungen, und ausserdem verdient ER es gar nicht, dass man ihn «lieber Gott» nennt.

Sie schwieg. Etwas später meinte er: Gleichwohl ist es ein verrückter Satz gewesen. Ich hätte ihn nie hinsetzen dürfen. Er war eine Zumutung. – Da senkte sie den Blick, und eben darum konnte sie nicht feststellen, ob er sie in diesem Moment belauere. Ob er darauf warte, dass sie ihm widerspreche, dass sie die angebliche Zumutung in Freude ummünze. Leise begann sie: Dass man manchmal sogenannt verrückte Sätze aussprechen muss, sonst erstickt man noch an ihnen. Und wie das wäre, wenn man einmal auf jenem letzten Bett liege, welches das Sterbebett heisst. Da ziehe das Leben nochmals wie im Zeitraffertempo vorüber, es sause geradezu vorüber, mit stark beschleunigten Sequenzen. Und da fielen dann dem Menschen all jene bedeutsamen Sätze ein, die er immer zurückgehalten und nie aus sich herausgeschleudert habe, ja, was dann mit diesen Sätzen wäre. Die Menschen, denen sie gegolten hätten, könne man nicht mehr just in jenem Augenblick herbeizitieren; vielleicht seien sie selbst schon längst gestorben oder verreist oder verschollen, und nun schwebten diese Sätze im All herum, ohne Adresse, und schlimmer: ohne je eine Wirkung erreicht zu haben.

Sie mögen recht haben, sagte er nach einem langen Zögern. Gleichwohl – es war ein verrückter Satz. Das sagte er mit trotzigem Nachdruck.

Da lachte sie und meinte: Seien Sie glücklich, dass Sie ihn hingeschrieben haben. Und stehen Sie doch endlich zu jenem Übermut, der Sie den Satz hinschreiben liess.

Der Mann und die Frau lehnten sich zurück, schauten einander in die Augen. Es war ein behaglicher Erker, in dem sie sassen, eine Ausstülpung des Restaurants sozusagen, wo man drinnen und zugleich draussen sass. Lange hätten sie da noch verweilen mögen. Da erklärte er, dass er für den nächsten Tag einen Plan zu einer Ausfahrt bereithalte. Ob sie indessen einen besonderen Wunsch habe, den er dann in den Plan einbauen wolle.

Ja, sagte sie sofort, das Schloss natürlich. Schon immer habe sie das Schloss besuchen wollen. Wegen seiner Geschichte, wegen seiner Sammlungen. Einmal, in jüngeren Jahren, habe sie darüber eine Arbeit geschrieben, über die Kunst- und Wunderkammer des Erzherzogs. Also das Schloss.

Das trifft sich ausgezeichnet, antwortete er. Das Schloss liegt sozusagen am Weg. Und er erläuterte ihr das, was er seinen Plan nannte. Sie erklärte sich einverstanden; sie fühlte bei seinen Worten eine Art von Geborgenheit, die sie sofort zustimmen liess.

Spät war es, als sie in ihr Hotelzimmer zurückkehrte. Sie trat ans Fenster, öffnete es und blickte hinaus. Ob die Gestalt des Mannes noch zu sehen war? Doch natürlich hatten ihn die Gassen längst verschluckt; überhaupt war nach dem vorweihnächtlichen Treiben Stille eingekehrt. Hinter den Fenstern der Häuser waren die Lampen erloschen, kaum ein Fernsehapparat lief noch, ab und zu erhaschte sie einen Blick in ein erleuchtetes Zimmer auf der Gegenseite. Es war, als ob man in ein Puppenhaus hineinschaute, so eng war die Gasse hier. Hoch stiegen die Giebel vor ihr auf, kaum nahm sie den Nachthimmel darüber mehr wahr. Und sacht begann es jetzt zu schneien, eine Flocke nach der anderen wirbelte herunter, weiss wurde die Welt, zart und weich.

Wie das nun wohl sein würde, morgen, wenn sie sich seinem Plan anschlösse? Ob er wohl ein guter Fahrer war oder einer jener alten Haudegen, die manchmal so gefühllos die Kurven nahmen, dass einem gleich übel wurde? Vielleicht rauchte er vor Aufregung eine Zigarette nach der andern, was sie ihm natürlich am liebsten gleich ausgeredet hätte, aber sie war ja dann sein Fahrgast, und die ganze Angelegenheit würde dadurch kompliziert. Einerseits freute sie sich auf morgen, andrerseits sah sie sich verschiedenen dummen Ängsten ausgesetzt. Gemischte Gefühle, konstatierte sie für sich selbst und schloss das Fenster.

Im Traum verliess sie ihr Zimmer, ging aus dem Raum fort, bestieg in Bergen, der norwegischen Fjordstadt, eines der Hurtigruten-Postschiffe und fuhr der zerklüfteten Küste entlang nordwärts, hinauf nach Hammerfest, bis zur Nordkapklippe. Von dort aus blickte sie auf das arktische Meer, diese undurchdringliche Welt, abweisend und verschlossen, dennoch betörend.

Da trat einer zu ihr, fragte sie, ob sie mit ihm nach Spitzbergen fahre, an den Rand der ewigen Eisgrenze. Er sei geübt in diesen Reisen, sei Arktisfahrer. Sie erschrak, wehrte ab, wies auf ihre mangelhafte Ausrüstung, ihre Konstitution, die solch extreme Kälte schlecht ertrage. Doch je mehr sie sich sträubte, um so mehr zog er sie unmerklich mit sich fort. Als sie zurückblickte, lag das Festland schon weit hinter ihr, und einmal tauchte neben ihr die kleine Meerjungfrau, Andersens kleine Meerjungfrau, aus dem Wasser auf und flüsterte ihr zu, sie solle sich nicht fürchten, der Rand der ewigen Eisgrenze sei nichts im Vergleich zur Arktis selbst oder gar zum Meeresgrund, den sie wie keine andere zu kennen glaube.

Das Schloss

Am nächsten Morgen fuhr er pünktlich um zehn Uhr mit ihr los, über die Brücke, dann allmählich den Hang hinauf, durch die Villenquartiere. Sie schaute nochmals zurück, sah die Stadt unter ihr wegtauchen, die Türme und Kuppeln im Nebel versinken. Gleichmässig rollte der Wagen dahin, und sie lehnte sich jetzt beruhigt zurück, spottete insgeheim über ihre Ängste, die sie abends zuvor gespürt hatte.

Zuerst zum Friedhof, sagte er unversehens. Es sei nicht irgendein Friedhof, sondern ein berühmter Friedhof, obwohl er sich solche Hierarchien ansonsten verbete, denn im Tode seien alle Menschen gleich, postum herrsche Demokratie. Aber auf diesem Friedhof befänden sich zwei ganz besondere Gräber, das Grab des Dichters und das Grab seines Mentors.

Der Dichter, jung noch, war arm und verzweifelt in die Stadt gekommen, verfluchte sie sofort gründlich, nannte sie die brutalste und gemeinste Stadt. Er war menschenscheu, überdies süchtig – ein total Lebensuntüchtiger in den Augen dieser Stadtbewohner, welche das Solide und Bodenständige hochhielten, während der Dichter Texte schrieb, die alle aus der Dunkelheit rührten. Der Mentor aber nahm ihn freundschaftlich-väterlich auf. Er verstand sofort die Situation, erwies sich dem Dichter gegenüber als gütig und grosszügig. Obwohl er selbst in einem sogenannt bürgerlichen Glück lebte, begriff er die Not des Unglücklichen. Der Mentor tat alles, um dem jungen Mann zu helfen. Er vermittelte, stellte Kontakte her, war Gastfreund und Helfer. Doch konnte auch er das Glück nicht herbeizwingen. Der

Dichter blieb in seinem Wahnsinn gefangen, in seinen Schuldgefühlen, die aus einer unseligen Verstrikkung rührten. Er fand aus dem Dickicht nicht mehr heraus. Bei Kriegsausbruch zog er mit einer Sanitätsabteilung in den Osten, erlebte die Schlacht bei G., und da schwankte der Schatten der Schwester ihm entgegen, jener Schwester, die wie keine sonst seinesgleichen war, auch sie verstrickt in Schuld und Qual. Das Leben schien ihm unlebbar. Er starb – ob Selbstmord oder Unglücksfall, blieb ungeklärt. Es war, so oder so, ein Fall von tiefstem Unglück. – Kurz zuvor hatte ihn der Mentor aus der Stadt am Fluss noch einmal im Garnisonsspital besucht, um an der Seite des Unglücklichen zu weilen. Dieser las ihm die beiden zuletzt entstandenen Gedichte vor, eines über die Schlacht bei G., eines über Schlaf und Tod.

Dies alles erzählte er ihr, während sie vor den beiden Gräbern standen. Allmählich kam ein Eiswind auf, und sie stellte den Mantelkragen hoch. Er bemerkte es und legte den Arm um sie, schwieg lange. Endlich meinte er, indem er auf die beiden Gräber wies: Die haben's gut, die haben's überstanden.

Etwas später fügte er noch an: Der da unten, der arme Dichter, hat sich immer als Kaspar Hauser gefühlt, und so könnte sich unsereins ja wirklich fühlen, allein mit dem Stern. Nichts als ein Findling in diesem Traumspiel, das sich Leben nennt.

Fremd komme er sich vor, als ein Versprengter, hatte er ihr schon am Abend zuvor gesagt. Sie dachte bei sich, dass nicht nur seine Frau die Menschen aus dem Haus vertrieben habe, sondern dass auch er selbst einer war, der sie eher von sich fernhielt. Zwar liebte er Gespräche, den Witz, die Pointe, und seine Abschiedsvorlesung, die er ihr später geben würde, hatte nicht mit ironischen Glanzlichtern gespart. Noch einmal hatte er sich gegenüber den Kollegen als homme de lettres gezeigt. Das liebten sie zwar nicht. Malen durfte man, auch ein Instrument spielen, aber um Himmels willen nicht schreiben. Und nun gar noch Gedichte. In ihren Augen galt er vermutlich als Hagestolz, dachte sie, denn er war auch nicht im ärztlichen Prestigezirkus aufgetreten. Die Vorstellungen in ihrer Arena seien ihnen sehr wichtig, hatte er angemerkt; man müsse als Arzt der Öffentlichkeit doch zeigen, dass man zur high society gehöre. Vorerst sei man zur Jagd gegangen, später sei es schick gewesen, Mitglied des städtischen Tennisclubs zu sein, dann sei auch dies zu wenig gewesen und man habe sich eine Golfausrüstung zugelegt, schliesslich ein Brevet, das zu Fahrten auf der eigenen Hochseeyacht berechtige, und zuletzt winke dann als Trophäe das Privatflugzeug, mit dem man rasch ins Gebirge zum Skilauf oder nach dem Süden in die Sommerfrische gelange. An diesem Jahrmarkt der Eitelkeiten hatte er nicht teilgenommen, und seine Schwiegermutter hatte es ihm seit jeher verübelt, dass er nicht einmal ein eigenes Haus besitze. Ein Arzt habe sein eigenes Haus und dazu ein Urlaubsappartement am Meer oder im Gebirge, habe sie ihm vorgehalten.

Zum Schloss jetzt, sagte er ins Friedhofschweigen hinein.

Die Nebelmassen wogten daher. Alles hüllten sie ein, Häuser und Bäume, erstickten jeden Laut. Manchmal glitt etwas vorbei: ein Park, ein Kurhaus, eine Seilbahnstation, ein Wegweiser. Kein Mensch indessen. Kein Tier. Das Auto bog in ein Waldstück hinein, fuhr unter den beschneiten Wipfeln hindurch, geriet dann wieder in Wiesenregionen. Aber noch immer lagerten die Nebelmassen dicht wie zuvor. Keine Angst, sagte er in die Stille hinein, bald haben wir das

Schloss erreicht. Gern hätte sie ihm gesagt, dass sie überhaupt keine Angst hege, dass sie im Gegenteil am liebsten immer so weiter mit ihm dahinführe, ziellos vielleicht, aber gehalten von dieser Landschaft des weissen Schweigens.

Unversehens mündete die Strasse in eine Einfahrt, die sie gar nicht beachtet hatte. Da war es also, das Schloss, um dessen Namen sich Legenden rankten. Eine Möglichkeit besagte, dass sich dieser vom lateinischen ad umbras herleite, zu den Schatten demnach, und es war diese Deutung, die ihr besonders zusagte.

Unter dem Torbogen bot sich ihnen ein Überblick: zuoberst das Hochschloss, einst aus dem Burgfelsen gesprengt; unter ihm der sogenannte Spanische Saal, an den sich die Parkanlage schloss; diesem Arrangement gegenüber ein Halbrund von Gebäuden, welche die Bibliothek, die Kunst- und Wunderkammern, die Rüstkammer und das Antiquarium beherbergten. Natürlich waren dies für sie vorerst einfach verschiedene Gebäude mit bizarren Kaminen, Arkaden, rhythmisch angeordneten Dachlukarnen und unzähligen Fenstern, die in die wehrhaften Mauern eingelassen waren.

Er legte wieder den Arm um sie und erklärte die Anlage. Nicht alles nahm sie mit voller Aufmerksamkeit auf, weil sie jetzt zu sehr an den Arm dachte, an den Mann vor allem, dem dieser Arm gehörte. Trotzdem erschien ihr die Schlossarchitektur in der Novemberkühle arktisch kalt und tot.

Da trat ein untersetzter Mann auf sie zu, in dem sie zuerst einen Schlossgärtner vermutete. Zielbewusst steuerte er auf den Arzt an ihrer Seite los, klopfte mit der Faust auf dessen Brust und fragte, indem er eine energische Miene aufsetzte: Doktor, wann endlich operierst du meinen Kropf? Der Überfall belustigte sie, besonders auch, weil der Mann gleich die Duform gewählt hatte. Mein Lieber, hörte sie da an ihrer Seite die Antwort, das wird mein Kollege besorgen, du weisst ja, ich bin fürs Herz verantwortlich, und dein Kropf schlägt nicht in mein Gebiet. Der Mann gab sich keineswegs zufrieden und bohrte weiter: Ob das ein anständiger, gerader Kerl sei, der Kollege? Er liefere sich nicht so mir nichts dir nichts ans Messer dieser Herren. Weisst du, sagte er abschliessend, bei dir wär's mir wohler gewesen. Na geh schon, lachte der Arktisfahrer, du wirst's überstehn, der macht seine Sache schon recht, der Kollege.

Der Mann brummte noch etwas, ergriff dann die Hand des Arztes und verabschiedete sich.

Die Struma, der Kropf, kommt in dieser Gegend häufig vor, erläuterte der Arzt nachher auf ihre Fragen. Gebirgsregionen wie diese hier sind ausgesprochene Kropfgegenden. Aber die Ursachen sind noch nicht völlig geklärt; vielleicht spielt die Ernährung eine Rolle, bestimmte Einseitigkeiten im Essverhalten – wenig Eiweiss, viel Kohl –, auch ein Mangel an Jod und Vitamin A. Übrigens: hier duzen alle Bauern den Arzt; das ist Ihnen bestimmt aufgefallen; es herrscht hier eine besondere Form der Demokratie.

Sie wandte ein, dass sie dieser Umgang an die skandinavischen Länder erinnere, wo man seinen Arzt, seinen Zahnarzt auch gleich beim Vornamen nenne. – Ich kenne das, lachte er, ich habe vor langer Zeit in einer Herzklinik ausserhalb von Stockholm Assistenzjahre verbracht. Aber nun sollten wir das Schloss besichtigen, nicht wahr? Doch ist es in den Wintermonaten geschlossen. – Als er ihre enttäuschte Miene sah, fügte er beschwichtigend hinzu: Ab Mai wird es erneut geöffnet sein – ein Grund wiederzukommen.

Sie gingen durch einen der Innenhöfe mit Grisaille-Malereien und zahlreichen optischen Täuschungseffekten. Hier würden in der warmen Jahreszeit oft Konzerte gegeben, erzählte er, Barockes und Klassisches, was halt die Leute mögen. Er dagegen wünschte sich anderes, Bartók oder Kurtág, Kurtág besonders, diesen Meister der Verknappung; auf jeden Fall einen akustischen Gegensatz zu dieser altehrwürdigen Sehenswürdigkeit, keine Entsprechung, um Himmels willen.

Indessen schlug die Turmglocke der Schlosskirche zwölf. Das ist die Zeit, da ich Tobias, meinen Enkel, von der Schule abhole. Fast zärtlich begann er davon zu sprechen, und je länger er von Tobias sprach, desto mehr wuchs diese Zärtlichkeit. Dass er sich mit Tobias sehr gut verstehe, der ihm unter allen Enkeln am ähnlichsten sei (gerne hätte sie gefragt, worin diese Ähnlichkeit bestehe, liess es dann aber bleiben, weil sie nicht den Fluss seiner Rede hindern wollte). Dass er ihm, der jetzt das Gymnasium besuche, oftmals bei den Schulaufgaben helfe, dass sie zusammen auch schon mehrmals in den Urlaub gefahren seien, hinunter in den Süden. Dass Tobias jetzt eine Freundin besitze, endlich, nachdem er in seiner Klasse lange keinen Anschluss gefunden habe, isoliert gewesen sei, ein einsamer Knabe, so wie einst er selbst, alles wiederhole sich; ein einsamer Knabe also, hübsch und feingliedrig, Sie müssten ihn einmal sehen, ich glaube durchaus, Sie würden diesen Eindruck bestätigen; keiner dieser Jungen in Lederjacken mit pomadisiertem Haar, die herumbrüllen und dabei so ungeschlacht aussehen, sondern ein Knabe mit sensiblen Gesichtszügen, bei dem sich bereits ein Profil auszuprägen beginnt; dabei keineswegs fügsam, sondern eigenwillig, einer, der weiss, was er will; aber natürlich hat Tobias etwas merkwürdige Neigungen, fühlt sich stark angesprochen vom tibetanischen Buddhismus, von der Kultur der Tibeter überhaupt, erzählt mir ausführlich von der Verfolgung durch die Chinesen – ein Faktum übrigens, das die westliche Welt in ihrer Begeisterung für China kaum oder gar nicht wahrgenommen hat –, von der Zerstörung von Tausenden ihrer Klöster, von der Folterung und Verschleppung der Tibeter, ihrem Tod in den Lagern, einem Genozid also, den man vielleicht an die Seite des jüdischen Holocaust stellen dürfe – vielleicht, denn da ist ja diese Einzigartigkeit, die sich seit jeher an die Geschichte des jüdischen Volkes geheftet hat – na, Tobias kann sich stundenlang in Bücher vertiefen, auch in solche über Trekking im Tibet, etwa zum berühmten Orakelsee, er weiss genau Bescheid über die Ausrüstung, die Ernährung und insbesondere über die Trinkvorschriften in diesen Extremhöhen, damit man der Gefahr der Ödeme begegnen kann, es gibt eine Faustregel, die besagt: pro tausend Meter Höhenanstieg einen zusätzlichen Liter Flüssigkeit täglich. Man sagt übrigens, dass Bergsteiger um so höher hinaufklettern, je mehr sie in sich selbst hineinblicken wollen.

Solche Dinge bewegen meinen Enkel Tobias, und Sie können sich unschwer denken, dass es nicht die Dinge sind, die gemeinhin die heutigen Jungs bewegen. Erstaunlich ist dabei für mich, dass Tobias noch am ehesten bei den Mädchen Anklang findet. Nun hat er diese Freundin gefunden, ein temperamentvolles Mädchen nebenbei gesagt, und er fragt mich einmal ziemlich verlegen, was er mit ihr machen solle. Ich schlage ihm vor, er könne ihre Hand halten. Ne, Opa, sagt er, das ist blöde. Na, dann vielleicht zusammen ins Kino gehen, erwäge ich. Das klingt schon viel besser, Opa, meint der Junge und verzieht sich.

Sie hatten einen der Innenhöfe erreicht, den der Hofmaler mit heidnischen und christlichen Motiven belebt hatte. Alles schwirrte unbefangen durcheinander: Eroten, Genien, Engel. Es gab keine säuberlichen Trennungen, und auch Himmel und Erde öffneten sich füreinander, Boten stiegen auf und nieder, vermittelten zwischen den beiden Welten. Auf einer der Darstellungen führte Rafael den jungen Tobias, gab sich als Reisebegleiter aus, war aber einer von den heiligen Sieben.

Sie blieben eine Weile stehen. Er erklärte ihr das Tobiasbild, meinte auch, wie anders diese Welt noch gewesen sei, da Engel so selbstverständlich in das Leben der Irdischen hätten eindringen können. Wir dagegen lebten in einer Welt ohne Engel.

Seine Frau sei übrigens heute morgen in besonderem Mass argwöhnisch gewesen, als sie bemerkt habe, dass er das Haus verlassen wollte. Wohin er denn gehe, in dieser sportlichen Ausrüstung? Dabei habe er sich auf Anraten des Psychiaters seiner Frau längst ausbedungen, dass er über sein Tun keine Rechenschaft abzulegen brauche, dass sie, seine Gattin, das akzeptieren, diese Grenzziehung absolut anerkennen müsse, dieses Mindestmass an Freiheit, da sie ihn doch sonst überall einzuengen und abzukapseln versuche. Wie überhaupt ihre Krankheit ein Versuch sein könnte, ihn zu unterwerfen. Aber er wolle nicht in die Rolle eines Luigi Pirandello oder Joseph Roth hineingeraten, die beide von der Krankheit, der Psychose ihrer Frau, buchstäblich besetzt worden seien.

Sie könne übrigens eine geradezu rasende Eifersucht entwickeln, könne mit Gift und Messer agieren. Er habe ihr heute morgen gesagt, ein Literaturmensch aus dem Ausland besuche ihn, er müsse ihn ein wenig herumführen und allerhand mit ihm als Fachmann besprechen. Sie dürfe nur nie wissen, dass der besagte Literaturmensch eine Frau ist. Das müsse er vor ihr geheimhalten. Der Arktisfahrer zwinkerte ihr beinahe verschwörerisch zu.

Mit dem Schloss aber habe es folgende Bewandtnis: Der Erzherzog habe, ohne Wissen seines kaiserlichen Vaters, eine Frau aus dem wohlhabenden Bürgertum geheiratet, die schöne Viktorine, obwohl für ihn bereits Prinzessinnen aus den ersten Häusern des europäischen Adels vorgesehen waren. Der Kaiser sei über die unstandesgemässe Verbindung erzürnt gewesen. Erst nach langem Zögern habe er die Ehe gebilligt, aber die Kinder aus dieser Mesalliance von der Erbfolge ausgeschlossen, zudem ewige Geheimhaltung der Ehe verlangt.

Sie kannte diese Geschichte bereits. Er erzählte ihr noch einiges hinzu. Dass die schöne Viktorine eine ganz besonders kluge Frau war, erläuterte er ihr mit sichtlichem Vergnügen, während sie kurz auf einer Steinbank verweilten, diese dann aber wieder verliessen, da die Kälte selbst durch mehrere Kleiderschichten drang. Sie sei als «Liebhaberin aller betrübten Herzen» gerühmt worden, sei nicht nur eine ausgezeichnete Hausfrau gewesen, sondern habe auch Kenntnisse in der Naturwissenschaft bezeugt. Tiere, Pflanzen und Heilkräuter habe sie gekannt wie keine zweite im Land, und nicht nur den Erzherzog habe sie immer wieder von seinen Leiden kuriert – er habe wegen der üppigen Kost häufig an Gallen- und Leberleiden gelitten, sei deswegen auch in die Badekur gefahren – sondern Hilfesuchende aus dem ganzen Umkreis. Ihre Rezeptbücher seien erhalten geblieben und enthielten nicht nur Anweisungen für Mahlzeiten an grosser Tafel, wobei der fürstliche Tisch jeweils mit dreissig Speisen zu versehen war, sondern auch eigens zusammengestellte Diätmahlzeiten und darüber hinaus Rezepte für Arzneien, Salben und Heilgetränke, deren Ingredienzien und Mischverhältnisse sie genau angebe.

Nun wollen wir aber etwas essen, schlug er ihr vor, Sie werden bestimmt Appetit bekommen haben bei dieser Kälte, es muss ja nicht gleich ein viktorinisches Mahl mit dreissig Gängen sein. Tatsächlich verspürte sie einen Bärenhunger und glaubte, mindestens ein Fünftel des fürstlichen Essens ohne weiteres verkraften zu können.

Sie erreichten den Parkplatz. Beim Auto angelangt, warf sie einen Blick zurück, sah das Schloss vor ihr aufragen, ein Winterschloss, von Wald und Felsen halb verdeckt, und weit unten die Stadt am Fluss, wo kaum einer wusste, was da oben geschehen mochte.

Die Kapelle

Einige Kilometer entfernt wisse er ein gutes Restaurant, da könnten sie zusammen speisen, hatte er ihr gesagt. Die Gaststätte erwies sich als stattliches Haus mit den in dieser Gegend üblichen blauen Fassadenmalereien. Drinnen war in einem der Säle eine Hochzeit im Gang; eben war ein Geländewagen mit einer Musikantengruppe vorgefahren, und es roch nach Braten und Räucherfleisch. Ein kleiner Raum blieb den übrigen Gästen vorbehalten, und hier setzten sie sich. Die Kellner schienen wegen der Hochzeit sehr beschäftigt, aber den Arktisfahrer störte es nicht, dass er die Bestellung nicht gleich aufgeben konnte. Er erzählte ihr in der Zwischenzeit von seinem Projekt, sozusagen einem literarischen Doppelprojekt, einem Briefroman nämlich, den er zusammen mit einer jüngeren Schriftstellerin zu schreiben gedenke. Was er ihr darüber berichtete, klang anziehend, und am Titel biss sie sich geradezu fest. Er hatte es ihr angetan, dieser Titel, «Unter den Kranichen». Denn da fiel ihr eines ihrer ersten Filmerlebnisse ein, der russische Film mit dem Titel «Wenn die Kraniche ziehn», den sie damals, vor über zwanzig Jahren, zwei- oder gar dreimal gesehen hatte. Seine Bilder sassen noch immer in ihr: dieser Vogelzug am Himmel, der in die Ferne flog und eine Sehnsucht mit sich trug, die Gedanken und Wünsche der Liebenden, und einer dieser Liebenden kauerte später auf dem Waldboden, schwerverwundet, und ein letztes Mal blickte er in die Höhe, als ob er noch einmal die Kraniche sähe. Und da begann sich vor ihm alles zu drehen, die Baumkronen fielen in einen tollen Wirbel, jagten immer im Kreis herum.

Das Doppelprojekt stecke indessen voller Tücken, knurrte er. Es gäbe Stockungen, Ungereimtheiten; der eine wolle abschliessen, während der Partner an der Fortsetzung festhalte. Zu allem Überfluss schlage der Verleger ihm vor, dieses Buch zuerst herauszubringen, vor dem Prosatext, den er zuvor angeboten hatte. Der Grund? Ach, habe der Verleger gemeint, das Doppelprojekt sei erfolgssicherer, finde eher zum Publikum, weil es mit dem Namen dieser weitaus jüngeren Autorin verbunden sei, die sich beim Publikum, im Gegensatz zu ihm, sehr gut verkaufe.

Zornig trug er ihr die Geschichte vor. Er sei aber nicht der Mann, der die Rolle eines Prinzgemahls spielen wolle. Deutlich habe er dies dem Verleger gesagt.

Endlich hatten sie die Bestellung aufgeben können, und nach einer weiteren halben Stunde war auch das Essen aufgetragen. Wieder ass er wenig, eine Suppe nur, dazu ein Glas Wein. Sie aber hatte eines der Fischgerichte gewählt, die man hier als Spezialität anbot. Ob sie nicht einen spritzigen Weissen dazu trinken wolle, fragte er. Sie verneinte, erklärte, dass sie seit Jahren keinen Alkohol trinke und schon gar nicht Weisswein, der ihr überhaupt nicht bekomme.

Sie leben viel zu gesund. Auf diese Art werden Sie hundertzwanzig Jahre alt und kriegen erst noch Alzheimer.

Sie zögerte: Ich glaube, mit Krankheiten wie Alzheimer ist nicht zu spassen.

Nehmen Sie es nicht so tragisch, wir Ärzte sind manchmal wahre Zyniker. Aber jetzt im Ernst: Haben Sie denn überhaupt kein Laster?

Natürlich hatte sie gleich mehrere: schöne Hotels, Katzen und ihre Insel mit den Feuerbergen. Von allen dreien konnte sie nie genug bekommen. Unter den Katzen etwa entdeckte sie immer wieder ein Exemplar, das ihr besonders gefiel und das ihr dann auch sofort zutraulich um die Beine strich, wie letzthin die kleine Elegante mit dem graugetigerten Mantel und dem weissen Fell an Brust und Bauch.

Dergleichen wollte er nicht als Laster gelten lassen, meinte aber, dass er dennoch eine deutliche Ähnlichkeit zwischen ihnen beiden empfinde. Nur fehle ihm eben jeder asketische Zug. Über diese Bemerkung war sie nun tatsächlich erstaunt; auch kam sie ihr zu rasch.

Er habe immer ein herausforderndes Leben gelebt, sagte er in die Stille hinein, habe die Gefahr geliebt. Hierin stelle er einen gewissen Unterschied zwischen ihnen beiden fest – und fast erschien es ihr, als ob er in diesem Moment mit dem Skalpell einen fein säuberlichen Schnitt durch ihr Herz ziehe und das Hasengemüt freilege. Da lag es, zitternd und bebend, und hätte sich doch am liebsten gleich wieder in die Herzkammer zurückgestohlen, damit ja keiner ihm zu Leibe rücke. Was die Menschen sich manchmal an Interpretationsfreiheiten herausnahmen! Gleich glaubten sie alles zu erkennen, zerlegten es und fügten es wieder zusammen und kamen sich dabei erst noch vor wie Siebengescheite. Und dass nun auch er, den sie von allen voreiligen Sätzen befreit glaubte, solche Dinge zu konstatieren wagte, jetzt schon, am zweiten Tag bereits!

Ein Bild hatte sie sich von ihm gemacht, jenes des Arktisfahrers, eines kargen Menschen, und nun behauptete er, ihm fehle, im Unterschied zu ihr, jeder asketische Zug. Sollte sie sich von diesem Bild wieder lösen? Vielleicht erging es ihr wie den Polarforschern, welche die Eismeere befuhren, das Bild der Eisberge auf dem türkisfarbenen Wasser vor sich. Diese hatten ein bizarres Formenspiel entwickelt, hatten Gesichter und Fratzen hervorgetrieben, Täler mit Schründen und Abgründen. Einmal glaubte man in ihnen ein urweltliches Tier zu erkennen, ein andermal eine Physiognomie wie jene der Sphinx, manchmal einen Mann mit Bart und buschigen Brauen, oft auch ein hexisches Wesen, das in sich hineingrinste. Doch kaum hatte man sich an einer Deutung festgemacht, so vernichtete der sich ändernde Lichteinfall das Muster. Neue Züge erschienen, andere Erklärungen drängten sich auf. Auch hing es davon ab, aus welcher Entfernung man die Formationen betrachtete. Was von weitem wie das Gesicht eines Ungeheuers erscheinen mochte, entpuppte sich in der Nähe als wundersam gestaltetes Eisgebirge; umgekehrt konnten wahre Wildmänner und Wildweiber ein Lächeln hervorkehren, sobald man sich in eine gewisse Distanz begab. Festlegungen jedenfalls erschienen unmöglich, aber gerade dieser stete Wechsel faszinierte die Polarforscher immer von neuem, lockte sie auf die Eismeere und oft genug in gefährliche Nähe der wechselhaften Gebilde.

Zur Kapelle nun! forderte er sie auf und riss sie aus ihren Träumereien.

Welche Kapelle? fragte sie zurück.

Sie haben wohl vergessen, dass ich einen Plan für uns beide zurechtgelegt habe, und im übrigen handelt es sich nicht um irgendeine Kapelle, sondern um eine ganz besondere. Denn diese Kapelle ist bis vor wenigen Jahren das Ziel einer – gelinde gesagt – höchst merkwürdigen Pilgerschaft gewesen, begann er zu erklären.

Wie soll ich das verstehen?

Die Explikation folgte sogleich. Vor über fünfhundert Jahren war an dieser Stelle ein Mädchen aus der Region umgebracht worden, und rasch nahm man an, es habe sich um einen Ritualmord gehandelt, von

Juden begangen. Seither zogen Scharen von Menschen als Pilger zu diesem Ort, und es habe sich eine blühende Gastwirtschaft entwickelt, die aus dieser sogenannten Wallfahrt Nutzen zog.

Ob denn niemand dagegen eingeschritten sei, wollte sie wissen, gegen dieses Relikt aus dem Mittelalter sozusagen?

Erst vor zehn Jahren habe der Bischof bei seinem Amtsantritt die ganze Angelegenheit aufs schärfste verurteilt und alle Umtriebe verboten. Sein Vorgänger, der Jahrzehnte das Bistum geleitet hatte, habe die Geschichte mehr als geduldet. Um so mutiger sei das Vorgehen des Nachfolgers zu bewerten, eines ausgezeichneten Mannes übrigens, der für seinen Einsatz in dieser Sache allerdings heftigen Protest geerntet habe, nicht nur von eingeschworenen Antisemiten und ihren Heerscharen von Mitläufern, sondern natürlich auch von den Gastwirten der Umgebung, den Busbetrieben und all jenen, die in diesen perversen Tourismus verwickelt gewesen seien.

Tatsächlich war im Innern der Kapelle eine Tafel angebracht, die die Geschichte kurz darstellte, dann in entschiedenem Ton auf die Haltlosigkeit des Vorwurfs hinwies und das Verbot weiterer Wallfahrten aussprach.

Der Bischof ist übrigens einer meiner raren Freunde in dieser Stadt, sagte er, und er sagte es mit einem gewissen Stolz in der Stimme. Er besitzt eine ausgesprochene Sprachsensibilität und äussert sich auch immer wieder zu einem seiner bevorzugten Themen, zur Sprache der Kirche. Sie wissen ja, wie sich die Sprache im kirchlichen Raum abschleifen kann, weil meist zu viel gesprochen wird. Dabei könnte gerade die Sprache der Bibel und der Liturgie mit wenigen Worten sehr viel ausrichten. Übrigens, der Bischof schreibt auch Gedichte.

Religiöse Lyrik? fragte sie skeptisch.

Mitnichten, da muss ich gleich lachen. Sie müssten nur den Titel des letzten Gedichtbandes kennen, der spricht Bände. Er heisst nämlich: «Die Schule des Zweifels».

Rasch meinte sie, dass sie in diesem besonderen Fall den Bischof gerne kennenlernen würde. Ob sie ihn nicht zusammen besuchen könnten, solange sie noch in der Stadt am Fluss weile.

Das dürfte schwierig sein, meinte er, da jetzt gerade ein Wochenende anstehe und der Bischof samstags/sonntags das Hochamt im Dom halte und oft auch predige. An solchen Tagen sei er unabkömmlich. Er bedaure. Aber vielleicht das nächste Mal, wenn sie wieder hieher komme? Da hätte sie für ihre Reise immerhin einen theologischen Grund.

Sie spottete: Der medizinische Grund sei bereits ausreichend.

A propos Predigt, lachte er, da fällt mir etwas ein. In einem humoristischen Buch, lauter Erlebnisberichten aus seinem Alltag, hat der Bischof geschildert, wie eine Ziege seine Manuskriptblätter weggefressen habe, während er kurz eingenickt sei, sommers auf einer Alm. Auf den Blättern aber habe seine Predigt gestanden. Diese Ziege sei nun – dank des ausgesprochen theologischen Menus – das Tier mit dem höchsten geistigen Niveau im ganzen Tal. Aus der Episode dürfe man aber – so der Bischof – schliessen: Den Seinen gibt's der Herr nicht nur im Schlaf – er nimmt es ihnen auch wieder.

Sie traten aus der Kapelle wieder ins Freie. Da lag ein grosser Steinbrocken, wie ein Findling schien er sich in die Gegend verirrt zu haben; es war aber der Judenstein, der einst an den Mord erinnert hatte, heute jedoch als Mahnmal für die Verbrechen dastand, die Christen an Juden begangen hatten.

Fort waren sie damals, die Juden, von der Bildfläche aus der Stadt am Fluss verschwunden: die einen rechtzeitig über die Grenze ins Ausland entkommen, wo aber die Flucht nicht endete, sondern weiter ging, eine Flucht ohne Ende; die andern deportiert, nach dem Osten verschickt, wie das hiess. Manchmal habe einer noch gesagt: Schrecklich, wo wohl der Soundso hingekommen ist? KZ? Einmal werden sie ihn doch freilassen, er hat ja nichts getan, aber, bitte, lass mich jetzt in Ruhe damit, es ist Krieg, und wir haben selbst die grössten Schwierigkeiten.

So habe man achselzuckend dahingesprochen, berichtete der Arktisfahrer weiter. Er erinnere sich aber noch genau an den Moment, als er erstmals einer jüdischen Frau gegenüberstand: Das war 1940, und es war die Mutter eines seiner Stubenkameraden während der militärischen Ausbildung in der Hauptstadt. Der war aus der Armee entlassen worden, er war «wehrunwürdig», Halbjude nämlich. Ich habe ihn dann einmal zu Hause besucht, wo mich seine Mutter empfing. Nach dem Krieg habe ich einige Juden kennengelernt. Manche waren mir sympathisch, andere nicht, wie das eben ist im Umgang mit Menschen, ich sage das ganz sachlich. Von ihnen allen lernte ich das Lernen. Mein bester Freund war auch Jude, der Salomon; sein Grab liegt nicht weit entfernt von hier, auf einem sehr schönen Friedhof, wollen wir zusammen hinfahren?

Der Friedhof

In fremden Städten suche er immer zuerst die Friedhöfe auf, bemerkte er. Ihr erging es ähnlich. Zwar setzte sie niemals die Friedhöfe zuoberst auf die Liste der Sehenswürdigkeiten, aber irgendwann im Verlauf des Besuchs einer fremden Stadt stand sie unweigerlich vor dem Friedhofstor. Nirgendwo sonst konnte man sich die Familiengeschichten eines Orts so leicht zusammensetzen wie während der Lektüre all jener Inschriften, die in die Grabsteine eingefügt waren. Frühe Tode, späte Tode, Kindbettstod und Bergunfälle, Attentate und Tragödien auf den Strassen – das alles floss in Geschichten über, die sie sich erdachte. Dazu all die Namen, wohlklingende und unaussprechliche, solche, die sich immer und immer wiederholten, weil es die Namen der Region waren, oder solche, die wie erratische Blöcke, als Fremdlinge in der vertrauten Namenlandschaft standen, von weit hergekommen, Namen von Versprengten und Flüchtlingen vielleicht. Einmal hatte sie sogar daran gedacht, anhand von Bildern einzelner Grabsteine eine Sammlung all jener Friedhöfe anzulegen, die sie bereits besucht hatte, jene in Ost und West, der bombastischen im Süden, die sich manchmal zu wahren Totenburgen auftürmten, oder jener verschwiegenen im Norden, wie etwa im schwedischen Mariefred, wo Kurt Tucholsky begraben lag. Dann aber hatte sie diese Idee wieder verworfen; sie schien ihr allzu todesverliebt.

Übrigens hatte sie auf ihrer Insel der Feuerberge nie einen Friedhof gefunden. Wo lagen die Toten, die späten Nachfahren all jener Berberstämme, die einst hier durchgezogen waren? fragte sie sich. Barg man sie in der schwarzen Lavaerde, die eigentlich keine Erde war, sondern eine Masse von Brocken, Lapilli und Asche, oder waren die Menschen dort Unsterbliche?

Sein Friedhof nun, wo der jüdische Freund Salomon ruhte, war von überraschend kleinem Ausmass. Nur wenige Tote hatten hier Einlass gefunden. Ihre Grabsteine ragten hie und da aus dem Boden, wie einzelne müde Wanderer im Erdenteil, denn die einen hingen schief, andere neigten sich vornüber. Aber dazwischen lag freier Grund, den nun der Schnee bedeckte, und hoch oben wölbten sich die Baumkronen über dem Friedhofsareal, das ihr eher wie ein verwunschener Garten erschien, besetzt mit Steinen aus mythischer Vorzeit. Dabei sprachen die Inschriften von neueren Zeiten, manchmal sogar von kaum verflossener Gegenwart. Auch der Freund Salomon war erst kürzlich bestattet worden. Wenige Monate zuvor war er an Blutkrebs gestorben, sechzigjährig, international bekannt als Filmemacher.

Ein Rabe setzte sich auf den Grabstein und begann, sein Gefieder zu putzen. Mein Lieblingsvogel, sagte der Arktisfahrer. Sie denke bestimmt, das sei er deswegen, weil dieser Vogel als Unglücksvogel gelte. Aber er sei auch seit jeher der kluge und beratende Begleiter des Menschen, habe ja auch etwa den Propheten Elias in der Zeit der Verborgenheit ernährt. Vielleicht, wer weiss, schicke ihm Salomon durch diesen Raben einen Gruss. Die Anlage zum Gesang habe der Rabe allerdings nicht ausgebildet, obwohl er und seine Familie der Corviden zu den Singvögeln gehörten. Indessen besitze er vortreffliche Geistesgaben.

Und es gebe nicht nur Unglücksraben, sondern manchmal auch wahre Glücksraben, fügte er hinzu. Wie etwa jenen Juden Vittorio Segre, der einige

Jahre älter als er sein möge und der sich aus dem besetzten Italien auf denkwürdigen Wegen nach Palästina gerettet habe; seiner Autobiographie habe er den Titel «Der Glücksrabe» gegeben.

Inzwischen hatte der Rabe sein Gefieder zu Ende geputzt und blickte jetzt aufmerksam in die Runde. Was bist du für einer, ein Glücksrabe oder ein Unglücksrabe? fragte ihn der Mann an ihrer Seite. Könntest du mir nicht ein Zeichen geben, wie es mit mir weitergehen soll? Der Rabe schien mit einem Auge zu zwinkern und flog dann weg. Kein verlässlicher Ratgeber, stellte der Mann fest, der ihr nun aus Salomons Leben zu berichten begann. Dass Salomon in vielen Kulturen zu Hause gewesen sei; doch wie könne man gerade in seinem Fall von einem Zuhause sprechen, da er früh den Fluchtbewegungen unterworfen worden sei. In Paris geboren, sei er als Siebenjähriger zusammen mit den Eltern fluchtartig aus der besetzten Stadt ausgereist, in die Schweiz nämlich, die ihn aber ausgespuckt habe. Dann weiter nach Italien, wo dem Jungen die Eltern entrissen wurden, deportiert, vergast, verscharrt, und er, der Knabe, fand mit Hilfe eines Franziskanerpaters, der ihn im Kloster versteckt hielt, doch noch zu einer Zukunft. Aber was für einer: allein, ohne Geschwister, ohne Vater und Mutter, Verwandte und Freunde, die alle ermordet wurden. Immerhin sei er als junger Mann zum Journalismus gekommen, danach zum Rundfunk, zum Fernsehen, zum Film, und hier habe er die Tradition seines Gastlandes in besonderer Weise wahrgenommen, eben mit dem Blick des Fremden, mit dem Blick jener, die nicht in selbstverständlicher Weise dazugehören. Gerade diese Befindlichkeit habe seinen Blick geschärft, er habe auf das scheinbar Vertraute einen neuen Blick geworfen, und da hätten sich manche Geschichten, manche Zeugnisse aus der Literatur des Landes unter seinen Augen verwandelt, seien innerhalb seiner Bildwelten wie neu erschienen. Ach, der Salomon, schloss er mit einem kaum hörbaren Seufzer, was ist er nicht herumgereist, was hat er gearbeitet, wie hat er seine Kräfte verschwendet, ohne jegliche Schonung, ohne jede Berechnung und Rücksicht gegenüber sich selbst. Und er verriet ihr mit leiser Stimme – fast wurde daraus ein komplizenhaftes Flüstern – jenen Namen, den Salomon, der Freund, für ihn verwendet hatte. Es war unbestreitbar ein Kosename, die Abkürzung des eigentlichen Namens, den der Arktisfahrer trug. Aber wie dieser nun den Kosenamen, vor dem Grab des Verstorbenen stehend, aussprach, da hörte sie daraus die Melodie einer zärtlichen Trauer. Brüder waren sie wohl gewesen, getrennt durch Herkunft und Schicksal, verbunden aber durch ein Band, das ins Dunkel führte.

Ja, der Salomon, wiederholte er. Und aus dem Schnee klaubte er zwei, drei Steine hervor, die er auf das Grab des Toten legte. Er verweilte noch etwas, und da wurde die Stille über ihnen wieder übermächtig, als ob es gar keine Stille mehr sei, kein tonloser Raum, sondern einer, der von einem Brausen und Dröhnen erfüllt war, erreichbar nicht für die Ohren, wohl aber für die Bahnen des Blutes, das nun schneller zu fliessen schien.

Sie blickte hinauf in die Bäume, aus denen der Schnee zu tropfen begann. Und tatsächlich, hoch oben in den Kronen schien das Licht durchbrechen zu wollen, zaghaft nur, eher wie eine Ahnung. Die Sonne, flüsterte sie in die Stille hinein. Wollen wir nicht noch etwas höher hinauffahren, dorthin, wo die Sonne scheint? Eine unbändige Lust befiel sie, direkt in die Helligkeit hineinzufahren, auch wenn das gleissende Licht schmerzen mochte.

Aber er verneinte.

Gelitten habe er, der Salomon, obwohl er nach aussen als lebensvoller Mensch aufgetreten sei. Gelitten unter einem Gefühl der Schuld, überlebt und weitergelebt zu haben. Warum er aufgespart worden sei, gerade er und nicht der Bruder, nicht der Vater, nicht der Cousin, weder die Mutter noch die Schwester? Das habe ihn zeitlebens umgetrieben, habe ihn in die Arbeit wie in eine Droge hineingejagt. Dort habe er vergessen, habe sich mit anderen, fremden Schicksalen auseinandergesetzt, um das eigene zu vergessen. Aber immer wieder habe es ihn eingeholt; seiner eigenen Geschichte entkomme man schwerlich, die hocke in der Brust und sei unausrottbar. Erst gegen den Schluss seines Lebens, da ihn die Krankheit mehr und mehr besetzte, habe er gelernt, dem Leid in die Augen zu sehen, und da habe es ihn manchmal fast liebevoll angeblickt – so sei es ihm, dem Freund Salomon, vorgekommen.

Ehrlich gesagt, wollen wir mit dem Kreuz nichts zu schaffen haben, gab sie ihm zu bedenken. Aber trotzdem bewege auch sie die Frage: Warum leiden wir, was wir leiden?

Sie erzählte ihm von Pirandellos Novelle «Il viaggio», die sie liebe; vom sizilianischen Grafen Cesare, der immer wieder vor sich hin gesagt habe: La vita è meravigliosa – das Leben ist wunderbar. Es sei vielleicht ein unmöglicher Satz, bei dem man sich auf die Lippen beisse, sobald man ihn aussprechen wolle, meinte sie. Denn immer schöben sich die Bilder von Elend, Hunger, Armut, Krieg und Zerstörung dazwischen, lieferten diesen Satz der Lügenhaftigkeit aus. Dennoch sei es ein schöner Satz, wenn man ihn so sagen könne wie Cesare, leise aber entschieden. Dabei habe dieser Cesare selbst gar nicht so vorbehaltlos an diesen Satz geglaubt, wie man annehmen möchte, habe ihn nur ausgesprochen, um seine suggestive Wirkung auf sich selbst und vor allem auf den Bruder zu erproben, diesen ewig ängstlichen Antonio: La vita è meravigliosa. Antonio habe in solchen Momenten die Trauer aus dem Gesicht gewischt, habe zaghaft gelächelt, weil er sich dem Sog dieses glitzernden Satzes nicht entziehen konnte. Aber sobald er Cesares Satz nachgesprochen, habe er wieder den Beigeschmack von Skepsis gespürt. Für sie aber bleibe die Frage zurück: Warum leiden wir, was wir leiden?

Ich kann Ihnen darauf nur eine jüdische Antwort geben, die Antwort, die mir mein Freund Salomon auf diese Frage einst gegeben hat. Sie mögen mit dem Bescheid umgehen, wie Sie wollen. Salomon sagte, dass das Leid den besonderen Menschen auswähle und sich bei ihm gleichsam einhänge, alle anderen aber liegenlasse.

Sie fuhren in die Stadt zurück.

Im Hotelzimmer legte sie sich etwas hin. Ein Unwohlsein hatte sie befallen, es mochte die Fischmahlzeit sein, die ihr Übelkeit verursachte. Und eine Frage stieg in ihr hoch. Warum hatte er so entschieden verneint, als sie den Vorschlag geäussert hatte, höher hinaufzufahren, der Sonne entgegen? Er schien es vorzuziehen, im Nebel zu bleiben, der sich auf die Stadt gelegt hatte. Sie spann die Fäden willkürlich weiter: als ob er sich das Unglück zu seinem steten Begleiter erwählt habe. Dabei wäre das Glück in nicht allzu weiter Ferne gegenwärtig gewesen. Es hätte eines Aufbruchs bedurft, einer Umorientierung: statt hinunter in die Stadt – hinauf auf den Berg.

Da fiel ihr ein, dass er ein Vierteljahrhundert älter war. Vielleicht lag es daran. Vielleicht glaubte man in einem solchen Alter nicht mehr an Veränderbarkeit, glaubte viel eher, dass die Dinge weiterhin ihren trägen Lauf nähmen, in der Art und Weise, wie sie ihn bis dahin genommen hatten. Auch wenn es Unglück bedeuten mochte, knirschenden Schmerz.

Dann schlief sie etwas.

Das Telefon klingelte, weckte sie. Er war es. Ich bin in zehn Minuten bei Ihnen, sagte er mit knapper Stimme. Sie blickte auf die Uhr. Viel Zeit blieb ihr nicht, und so kam sie auch gar nicht dazu herauszufinden, ob sie über den verhängten Zeitplan verstimmt sein solle.

Am Tisch, im Restaurant des Hotels, schien er ihr kummervoll. Fragend blickte sie ihn an. Es war wieder schlimm in der Höllengasse, sagte er. Höllengasse? fragte sie. Ja, ich nenne sie so, meine Adresse, erklärte er, einen anderen Namen verdient sie nicht. Meine Frau hat sich wieder fürchterlich benommen, hat mich beschimpft. Sie wirft mir die Schimpfwörter noch mit lauter Stimme nach, wenn ich bereits das Haus verlassen habe, schamlos, muss ich Ihnen sagen, denn es macht ihr gar nichts aus, wenn die Nachbarn alles hören können, im Gegenteil: Sie scheint für ihre Auftritte das Publikum zu suchen. Am Schluss brüllte sie noch jenen Namen heraus, den mir der Freund Salomon gegeben hat, Sie wissen schon, welchen Namen ich meine, und nun kommt mir jener Name so besudelt vor –

Er brach ab, redete nicht weiter. Da fragte sie ihn geradewegs, obwohl sie sonst solche Direktheiten eher mied: Haben Sie in all den Jahren nie daran gedacht, sich von Ihrer Frau zu trennen, wenn es doch die Hölle ist, wie Sie sagen?

Kaum hob er den Blick, zögerte lange mit einer Antwort. Ich hab' es einfach nicht über mich vermocht, sagte er endlich, schliesslich ist sie ja eine kranke Frau, und da regt sich der Arzt in mir. Ich kann einen kranken Menschen nicht einfach auf die Seite stellen.

Was geschähe denn, wenn Sie Ihre Frau verliessen? fragte sie trotzdem weiter, wäre sie denn wirklich ganz allein, oder hätte sie noch Verwandte?

Vielleicht ginge sie an den See zurück, meinte er, woher sie damals in diese Stadt gekommen ist. Dort hat sie Verwandte – Geschwister, Cousins, Cousinen.

Was halten Ihre Kinder von der ganzen Angelegenheit? Sie wusste, dass er erwachsene Söhne und Töchter hatte.

Sie stellen es mir frei, sagte er, sie sagen: Vater, Du bist alt genug, um zu wissen, was zu tun ist. Aber vielleicht bin ich schon zu alt, um noch das Richtige zu tun.

Oder sich überhaupt zu verändern, warf sie ein.

Ja, verändern, wiederholte er. Man hört heute oft die Auffassung, es seien vor allem die Frauen, die zu Veränderungen fähig seien, nicht die Männer, welche einst die sogenannten grossen Reformer und Revolutionäre gewesen sind. Wer weiss es? Vielleicht handelte ich anders, wenn ich eine Frau wäre, so aber – Und bedenken Sie die Müdigkeit eines älteren Mannes, wie ich einer bin. Sehen Sie, es entwickelt sich auch eine Anhänglichkeit eigener Art, eine fast selbstmörderische Anhänglichkeit. Man lebt sich auseinander und ist doch ineinander verstrickt.

Jemand müsste den gordischen Knoten entzweihauen, meinte sie. Warum gehen Sie nicht einfach fort aus der Höllengasse?

Wieder die Trauer in seinem Gesicht. Ob sie tatsächlich glaube, dass man dem Leid entrinnen könne? Er habe die Erfahrung gemacht, dass es einen immer wieder einhole, dass es Tisch und Bett mit einem teilen wolle. Daher glaube er eher, dass man das Leid umarmen müsse. Es möge ihr unbegreiflich, ja vielleicht sogar anstössig erscheinen, wenn er solches daherrede. Und es sei auch nicht purer Masochismus, der ihn leite, sondern – er könne es nicht ausdrücken, nur sagen, dass er das Leid erforscht habe. Seine Profession sei: Leidensforscher, nicht allein von Berufes wegen, sondern wohl aus innerer Bestimmung heraus. Er habe «ja» zum Leid gesagt, und also gebe es kein Wanken mehr. Ihm ginge es ums Durchhalten. Natürlich wolle er daraus kein allgemein gültiges Gesetz ableiten; für andere gälten je eigene Bestimmungen, aber für ihn sei es sein Gesetz.

Und wenn Sie darob zugrunde gehen?

Keine Antwort. Die Pausen in ihrem Gespräch wurden immer länger. Das Schachspiel kam ihr in den Sinn, wo man jeden kommenden Zug genau überlegen muss, um nichts Unbedachtes anzustellen. War Ihre Frau schon immer so, ich meine: Konnte man Anzeichen ihrer Krankheit bemerken, gab es Vorwarnungen? Sie genierte sich im nächsten Moment, diese Fragen gestellt zu haben, aber er gab freimütig Auskunft. Man habe zuerst, in den ersten zehn Jahren, überhaupt nichts merken können, bis dann eine Art von Hast und Aktivität ausgebrochen sei, die ihn befremdet habe. Erstmals sei dies zutagegetreten, als bei ihm eine wichtige berufliche Veränderung angestanden habe. Da habe sich seine Frau fast wie eine Furie in die Arena geworfen, habe bei Dienststellen interveniert und sich um Dinge gekümmert, die nicht die ihrigen gewesen wären. Ihm sei das äusserst unangenehm gewesen, wegen der Kollegen und nicht zuletzt wegen der Vorgesetzten. Rückblickend erkenne er, dass dies die Introduktion gewesen sei, der Beginn des Höllentheaters. Natürlich habe es immer wieder retardierende Momente gegeben, in denen er aufgeatmet, Hoffnung gewonnen und an eine Besserung gedacht habe. Aber dann habe sich das Drama zugespitzt, sei zur Kulmination gekommen, nicht einer einzigen, sondern immer wieder neuen. Schliesslich nichts als ein gebrochenes Herz.

Das gebrochene Herz erwähnte er, der Herzspezialist, mit einem sarkastischen Lachen. Sie können sich nicht vorstellen, sagte er, wie rührend meine Frau war, eine zarte dunkelhaarige feingliedrige Gestalt, als sie vom See hierher in diese Stadt kam. Sie kannte kaum einen Menschen, hing noch mit vielen Fäden an einer Liebesgeschichte mit einem Maler, die zu Ende und doch noch nicht zu Ende war, Sie verstehen, was ich meine. Zehn Jahre jünger war sie als ich; vielleicht musste ich ihr auch noch etwas den Vater ersetzen, den sie früh, im Alter von sechs Jahren, verloren hatte. Sie wollte heiraten, wollte Kinder haben, mir dagegen schwebte eine ehelose Partnerschaft vor, allerdings damals etwas schwierig zu verwirklichen in dieser stockkonservativen Stadt, aber ich hätte es riskiert. Damals. Kinder wollte ich keine, ich ging immerhin schon auf die vierzig zu. Ich sagte es ihr klipp und klar.

Ist es nicht verständlich, wenn sich eine Frau vom geliebten Mann ein Kind wünscht? gab sie zu bedenken. Vielleicht ist es die elementare Neugier. Man möchte wissen, was für ein Kind aus der Verbindung hervorgeht.

Mag sein. Aber vielleicht ist dies wirklich eine Neugier der Frauen. Männer reagieren wohl anders. Und ich habe ja als junger Mann diesen Krieg miterlebt, der die Menschen in den Tod schickt. Nichts als Material für die Kriegsmaschinerie. Da denkt man nur noch das eine: geboren werden, um sterben zu müssen. Was soll das für einen Sinn haben?

Aber auf jeden Fall scheint sich Ihre Frau mit den

weiblichen Vorstellungen durchgesetzt zu haben, sonst wären Sie jetzt nicht verheiratet und hätten keine Kinder. Auch keinen Tobias (das letztere sagte sie mit Nachdruck).

Stimmt. Irgendwie hat mich dann das Leben trotzdem überwältigt. Nur eben: Was daraus entstanden ist, das wissen Sie jetzt ein bisschen aus meinen Geschichten von der Höllengasse. Noch vor zehn, zwanzig Jahren habe ich schrecklich gehadert, habe auch einmal daran gedacht, meine Frau umzubringen.

Wie denn? entfuhr es ihr unwillkürlich.

Mit einem Messerstich in die linke Brust, das wäre eine saubere Sache gewesen, wie wir Chirurgen sagen. Wenn man die Sectio genau ausführt, tritt kaum Blut zutage. Denken Sie an Lucheni, den Mörder der Kaiserin Elisabeth, der hat das unglaublich geschickt gemacht, mit einer Feile allerdings.

Sie wollte fragen, warum er nicht zur Tat geschritten sei, wagte es aber nicht. Doch da sprach er weiter: dass seine Frau unmittelbar vor dem entscheidenden Moment im Schlaf geseufzt habe, auf eine Art geseufzt, dass ihm die ersten Jahre ihres gemeinsamen Glücks vor die Augen getreten seien. Am nächsten Tag habe er das Messer in den Fluss geworfen.

Spät brachen sie auf. Sie las noch etwas in ihrem Zimmer und schlief danach rasch ein.

Nachts fuhr der Arktisfahrer auf See. Abfahrt bei schönem, klarem Wetter. Er hatte über Satellitenfunk Eiswarnungen erhalten, schenkte diesen Informationen indessen kaum Beachtung. Zwar stellte er einige Berechnungen darüber an, wann sein Schiff das Treibeis erreichen werde, aber dann ging er sogar für kurze Zeit auf dem Achterdeck spazieren. Ein Neumond stand am Himmel. Wäre Vollmond gewesen, so hätten sich die Eisberge, welche das Licht reflektieren, besser von der allgemeinen tiefen Finsternis abgehoben. Riecht nach Eis, sagte immerhin der Erste Offizier (es ist eine alte Seemannsregel, dass man das Eis riechen kann, bevor man es sieht).

Da tauchte ein Schatten aus der Dunkelheit auf. Eisberg voraus, rief der Erste Offizier, und: Ab vom alten Kurs, schrie sie selbst im Traum. Doch die Wand aus Eis schrammte bereits an der Steuerbordseite des Bugs entlang, und auf das Vor- und Welldeck prasselten Eisstücke nieder. Der Erste Offizier betätigte den Schottenalarm, so dass sich die schweren, wasserdichten Schotten zwischen den Kessel- und Maschinenräumen schlossen. Die Rettungsboote fieren! signalisierte der Erste Kapitän. Und sie selbst mit letzter Kraft: Der Arktisfahrer soll unverzüglich einsteigen und vom Deck heruntergelassen werden, schnell, um Gottes willen, das Schiff sinkt bereits, schaut nur auf den Bug. Aber der Arktisfahrer schien überhaupt nicht auf sie zu hören. Haben Sie etwas gesagt? Ich bin nämlich manchmal in leichtem Grade schwerhörig. Oder anders gesagt: Ich will nichts hören.

Sie sollen sofort mit der Mannschaft ins Rettungsboot Nr. 1 einsteigen, was zögern Sie noch, Sie Wahnsinniger?

Da erwachte sie an ihrem eigenen Schrei. Draussen war Nacht. Der Uhrzeiger ging auf drei Uhr früh.

Das Haus

Am nächsten Morgen vollzog sich ein bereits bekanntes Ritual. Das Telefon klingelte, er meldete sich mit knapper Stimme, ohne Gruss und Frage: In zehn Minuten bin ich bei Ihnen.

Was haben Sie denn heute im Sinn, fragte sie ihn, ich sehe die Landkarte, und das riecht nach handfesten Projekten.

Wir fahren heute gründlich weg aus der Stadt, hinauf auf den Pass. Sagt Ihnen das zu?

Und wie!

Sie fuhren über eine der vielen Brücken, unter denen der Fluss dahinzog, und plötzlich schien er zu stocken, fragte sie, ob sie nicht zusammen zuerst dem Archiv einen Besuch abstatten wollten, wo die Nachlässe des Dichters, seines Mentors wie auch des berühmten Philosophen lagen, ob sie vielleicht gar die Fahrt auf den Pass am nächsten Tag machen sollten. Sie winkte entschieden ab. Sprach davon, dass ihr jetzt der Sinn nach Luft und Fahrt stehe, nicht nach Dokumenten in säurefreien Archivschachteln, mit Bogen von Seidenpapier dazwischen.

Sie scheinen Bescheid zu wissen, aber wie soll ich diese Abneigung mit Ihrem Beruf zusammenreimen? Sie haben doch bestimmt oft mit Archiven und Bibliotheken zu tun?

Eben deswegen, da mag ich im Urlaub nicht nochmals dieselbe Luft einatmen. Luft ist übrigens in diesem Zusammenhang ein Euphemismus, eher ist es eine Megatonne von Bücherstaubmilben, die sich in diesen Räumen anhäuft. Ist Ihnen noch nie aufgefallen, wie seltsam es riecht in Archiven und Bibliotheken? Irgendwie muffig, wie in einer alten Kirche.

Bleiben Sie mir jetzt mit der Kirche vom Leibe, die weckt nicht nur gute Gedanken in mir, und alles zusammen könnte mir noch den Tag verderben. Also, an die Luft wollen Sie. Wahrscheinlich sind Sie eine Eglantine, eine Wildrose, ich kenne den Namen von meinem Sohn, der Botaniker ist. Die brauchen viel Luft und Freiheit, vor allem Abstand zu Nachbarpflanzen. – Das Archiv nun also nicht. Vielleicht ein nächstes Mal.

Unhöflich mochte es ihm vorkommen, dass sie diesen Besuch so rundweg abgelehnt hatte, aber sie wollte den schönen Tag nutzen, der sich zaghaft ankündigte. Drunten kochte immer noch die Nebelsuppe, aber je weiter sie von der Stadt wegfuhren, hinauf in die Höhe, umso lichter wurde es. Sie fuhren an zahlreichen Dörfern vorbei, angezeigt durch Ausfallstrassen. Es waren Kurorte, Höhenorte, Sportzentren und Ausgangspunkte für Wanderungen.

Sie sollten die Lärchenwälder im Herbst sehen, meinte er, die lodern wie Feuer.

Nun erschien aber die Sonne am Himmel, und die Berge türmten sich in vielfältigen Gestalten auf, als Kegel und Pyramiden, Stöcke und Zylinder.

Zum Klettern sei er zu lang gewesen, bemerkte er lachend, da brauche man eine bestimmte Grösse, weder zu klein, noch zu gross, damit man mit den in den Steilwänden eingeschlagenen Haken zurechtkomme. Dafür habe er gewandert, stundenlang, später auch mit seiner Frau. Da unten im Süden, jenseits des Passes, habe er mit ihr unvergessliche Urlaubstage verbracht.

Sie näherten sich der Passhöhe. Winter war's, aber die Sonne schien Wärme auszustrahlen. Er bog in den Parkplatz ein, und beide verliessen sie den Wagen. Ich weiss einen Punkt, sagte er, wo man von der Höhe einen weiten Blick ins Tal hinunter werfen kann. Er ging voran, bog in eine unscheinbare Seitenstrasse ein, die sich nach einigen hundert Metern, gerade als eine Kurve in Sicht war, erweiterte. Und wie aus einer Ehrenloge konnte man hier hinunterblicken. Man sah das vorerst noch enge Tal mit dem Flussband, das sich danach weitete, die Berge rückten weg, die Ebene öffnete sich. Bläulich schimmerte in der Ferne das Meer. Er stand neben ihr, sagte kaum hörbar: Da unten bin ich sehr glücklich gewesen.

Moses war er, der alternde Mann, dachte sie, der aus der Wüste auf den Berg Nebo gestiegen war, von wo ihn Gott das gelobte Land schauen, aber nicht mehr hinüberziehen liess.

Wollen wir noch ein Stück hinunterfahren, hinein in den Süden? schlug sie ihm vor, und lustvoll funkelte es in ihren Augen.

Nein, wir kehren zurück, entschied er ohne weitere Erklärung. Ich muss Ihnen unbedingt noch etwas zeigen.

Wieder befiel sie eine Enttäuschung, wie tags zuvor im Friedhofsgarten. Dennoch fügte sie sich, was sonst nicht ihre Art war.

Schweigend fuhren sie in die Stadt zurück. Bereits näherten sich die Aussenquartiere, Siedlungen mit Schloten und Fabriktürmen, Werkhallen und Industriearealen, als er brüsk in eine Seitenstrasse einbog und vor einem Haus anhielt. Es war ein baufälliges Objekt, der Mörtel hatte sich überall gelöst, und auf die Haustür hatte jemand «Ausländer raus» hingeschmiert.

In diesem Haus habe ich meine Jugend verbracht, heute wohnen Ausländer hier, die das Sozialamt eingewiesen hat.

Er blickte sie an, schien auf eine Reaktion zu warten. War er nicht selbst ein heimlicher Ausländer, Ausländer im eigenen Land? Das fiel ihr zuerst ein.

Wie war Ihre Kindheit? fragte sie ihn nach einer Pause.

Er räusperte sich. Mal gut, mal schlecht, begann er nach einer Weile. Es war ein Dreipersonenhaushalt: meine Grossmutter, die aus dem Mährischen stammte, meine Mutter und ich, der einzige Sohn. Das Regiment führte die Grossmutter. Sie war hart gegen sich selbst und auch hart gegen die andern. Als sie mit achtzehn schwanger wurde, ledig natürlich, gebar sie das Kind – eine Tochter übrigens – heimlich. Schon am nächsten Tag trug sie den Säugling weg, zu einer Familie, die das Kind aufnahm; das hatte sie alles schon vorher ganz allein organisiert. Danach ging sie gleich wieder zur Arbeit. Sie war in der Maschinenfabrik der grossen Baumwollspinnerei tätig, und allzu lange Ausfälle konnte sie sich nicht leisten. Meine Mutter war also ihr zweites Kind, leider – Sie verzeihen – wieder eine Tochter, wie sich die Grossmutter manchmal mürrisch äusserte. Aber immerhin – meine Mutter war ein eheliches Kind, so gehörte es sich. Allerdings verlor sie früh ihren Vater, denn der Mann meiner Grossmutter verunglückte in den Bergen, als er ausländische Alpinisten entgegen seinem Willen – denn es herrschte ausgesprochen schlechtes Wetter – ins Gebirge führen musste. Sie brachten ihn auf einer Bahre, und meine Grossmutter – das hat man mir später erzählt – stand wie erstarrt unter der Türe und kniff den Mund zusammen. Nachts knirschte sie aber mit den Zähnen, und darob erwachte meine Mutter, die mit mir und der Grossmutter zusammen in dem einzigen Raum neben der Küche schlief.

Meine Grossmutter haderte mit dem Schicksal. Aber nach aussen liess sie sich kaum etwas anmerken. Sie ging weiterhin in die Fabrik, nach und nach etwas gebeugter (Osteoporose gab's nämlich schon damals, nur schrieb keine einzige medizinische Fachzeitschrift darüber), aber manchmal kochte die Wut in ihr über. Dann hielt sie Gerichtstag, nicht mit irgendwem, sondern ausgerechnet mit meiner Mutter, die ja an der ganzen Geschichte völlig unschuldig war. Sie musste sich vor dem Bett der Grossmutter niederknien, und die Grossmutter schlug ihre eigene Tochter.

Warum hat sich Ihre Mutter das gefallen lassen? fragte sie.

Ja, warum, warum? Ich weiss gar nicht, ob Sie sich das vorstellen können, denn Sie gehören einer anderen Generation, einer anderen Epoche an. Schauen Sie, ich versuche es Ihnen zu erklären. Vieles wurde damals dumpf durchlitten, durchgestanden, zumal von den Frauen, wie ich vermute, ohne dass sie nach den Gründen fragten, geschweige, dass sie auf eine Veränderung hin arbeiteten. All die Gedanken, die man heute unter Begriffen wie Emanzipation, Selbstverwirklichung und so weiter zusammenfasst, waren damals noch fremd. Natürlich, ich weiss, es gab schon anfangs dieses Jahrhunderts all diese beherzten Damen in Berlin und London, in Genf und Zürich (er lachte sie beinahe schalkhaft an, als wollte er zu bedeuten geben, dass auch er, das ältere Semester, im Bilde sei), man nannte sie damals abwertend Suffragetten, aber ihre Postulate drangen niemals in eine Stadt wie die unsrige hier am Fluss. Die Berge schienen all diese Freiheitsgedanken wie ein Bollwerk abzuwehren. Auch meine Grossmutter war ein solches Gebirge. Alles Männliche akzeptierte sie fraglos, das Weibliche aber schien sie zu hassen. Sie wäre ein Fall für meine Kollegen, für die Psychiatrieärzte, gewesen. Am liebsten wäre sie wohl als Mann geboren worden, und nicht umsonst trat sie oftmals sehr herrisch auf. Als meine Mutter mich geboren hatte, den

Knaben, bekam sie von der Grossmutter erstmals in ihrem Leben einen Kuss. Es war eine schwere Geburt gewesen. Steisslage. Man hörte die Schreie bis zum Fluss hinunter, erzählte man mir später.

Liebten Sie Ihre Mutter?

Aber ja. Wir waren eine kleine, aber unverbrüchliche Schicksalsgemeinschaft, meine Mutter und ich. Wahrscheinlich habe ich der Mutter manches ersetzt, was sie sonst vermisst hätte. Wahrscheinlich verwöhnte sie mich etwas, trotz der bescheidenen Verhältnisse, meine Grossmutter übrigens manchmal auch. Einmal, ich war ungefähr zehn, stellte ich meine Grossmutter zur Rede, wegen des Gerichtstags nämlich. Warum sie die Mutter schlage. Mlc – schweig, Bub, das geht dich nichts an. Das war alles, was sie sagte. Und ich selbst brachte auch nichts mehr heraus, dafür schäme ich mich noch heute – manchmal.

Meine Mutter arbeitete vorerst als Verkäuferin; später, als sie ein kleines Erbe von einem Onkel erhalten hatte, eröffnete sie eine Kurzwarenhandlung an einer belebten Strasse im Klinikviertel. Es war ein winziger Laden, aber irgendwie fanden darin die Wollstränge, Fadenspulen, Stricknadeln, Stickgarne und was eben zu so einer Kurzwarenhandlung gehört, – irgendwie fand das Platz.

Schon als ganz junge Frau hätte seine Mutter am liebsten eine Wirkschule besucht, denn sie sei eine hervorragende Strickerin gewesen, eine wahre Künstlerin im Umgang mit Mustern und Farben, die sie apart miteinander kombiniert habe. Doch der Besuch dieser Schule sei viel zu teuer gewesen, die Mutter habe darauf verzichten müssen, aber dennoch nicht von ihrer Leidenschaft gelassen. Aus dem Verkäuferinnenlohn habe sie so nach und nach eine Summe zusammengespart, die für einen Handstrickapparat gereicht habe, und hier habe sie in der Freizeit wunderschöne Pullover hergestellt, jetzt in weitaus kürzerer Zeit als zuvor mit den Stricknadeln. Sie habe diese Tätigkeit immer mehr perfektioniert, und als sie dann ein eigenes Geschäft besass, hätten in der Auslage jeweils zwei, drei ihrer neuesten Prachtstücke gelegen und sofort Absatz gefunden. Manchmal sei ihr die Arbeit über den Kopf gewachsen, da sie alles in ein und derselben Person war: Geschäftsführerin, Produzentin, Werbefrau und Buchhalterin. Da habe sie ihn an Samstagen für die Schule krankschreiben lassen, um ihn einzusetzen, natürlich nicht regelmässig, sonst hätte man Lunte gerochen. Er habe die Wirkwaren zur Kundschaft nach Hause getragen, das habe wiederum ein willkommenes Trinkgeld für ihn, den Ausläufer, ergeben, oder er habe Ordnung in all den Regalen, Fächern, Schubladen und Schublädchen geschaffen und oftmals auch den Handstrickapparat repariert, wenn mit den Platinen oder mit dem Zungenöffner etwas nicht mehr in Ordnung war. Diese Arbeit habe ihn fasziniert, und damals habe er unbedingt Uhrmacher werden wollen.

Eigentlich müsste ich, nach allem, was ich als Kind mit der Grossmutter erlebt habe, ein Frauenhasser sein, fuhr er nachdenklich fort. Aber weil ich wiederum durch meine Mutter – sie war eine lebenskluge, ja eine charmante Frau – ein völlig anderes weibliches Bild gewonnen habe, hat sich das irgendwie wieder ins Lot gefügt. So bin ich zwar manchmal skeptisch gegenüber den Duftfallen der Frauen – ja, ja, Sie haben richtig gehört –, aber andrerseits . . . Doch lassen wir das.

Sie hängen noch immer dem Trivialmythos der Frau als Verführerin nach, neckte sie ihn. Wie soll ich die Duftfallen anders verstehen? Sie sind selber schuld, wenn Sie da hineintappen. Fallen kann man immer auch umgehen, nicht wahr?

Er erzählte ihr, dass er früh in die Duftfallen hineingetappt sei. Als Gymnasiast habe er Schillers «Don Carlos» gelesen und sich in die Prinzessin von Eboli verliebt. Die habe aus den Gärten von Aranjuez ein Parfüm ausgesandt, dem er hoffnungslos verfallen sei. Beim Ministrantendienst in der Jesuitenkirche habe er während des Glorias, das sie sich sitzend angehört hätten, denn es sei ein feierliches Hochamt mit grossem Orchester gewesen, vermutlich Mozart, also während des Glorias habe er dem Freund einen Zettel hinübergereicht mit dem Bekenntnis seiner Liebe. Der Geistliche habe aber den Transfer des verhängnisvollen Papiers sofort bemerkt, den Zettel an sich genommen und seinen Vater benachrichtigt. Habe ihm mitgeteilt, sein frühreifer Lausebengel habe gefährliche Flausen im Kopf, und nun dieser Zettel. Was denn auf dem Zettel stehe, wollte der Vater endlich wissen. ICH LIEBE DIE EBOLI, meldete der geistliche Herr. Wer ist das, die Eboli, fragte hierauf der verdutzte Vater, ich kenne niemanden mit diesem Namen, es muss eine Ausländerin sein.

Dabei, das muss ich noch nachtragen, landete der Geistliche bei meinem Vater mit solchen Geschichten eigentlich an der falschen Adresse. Mein Vater hatte früh wegen einer Liebesgeschichte (die ich aber hier nicht ausführen will) meine Mutter verlassen. Dennoch besuchte er uns immer wieder, trat auch nach aussen als Familienvorstand auf. In Wirklichkeit aber hatte er sich von meiner Kindheit verabschiedet, und ich wuchs mit diesen beiden so unterschiedlichen Frauen auf – mit meiner harschen Grossmutter und meiner sensiblen Mutter. Ja, harsch war sie, hart wie durchgefrorener Schnee, die Grossmutter. Eiskalt konnte es tatsächlich sein, wenn die Grossmutter allein im Haus war. Sobald aber meine Mutter heimkehrte, ging die Sonne auf. Dann war Frühling. Das

Aprilgesicht, hatte mein Vater sie zur Zeit der Liebe genannt. Meine Kindheit pendelte wahrhaftig zwischen Polarkälte und mediterraner Wärme, wenn Sie so wollen, hin und her.

Wortlos blieben sie noch eine Weile sitzen, schauten auf das baufällige Haus, von dem der Mörtel brökkelte. Mittlerweile hatte es wieder zu schneien begonnen, und er schlug vor, nun endgültig in die Stadt zurückzufahren. Mit einem unterdrückten Seufzer liess er den Motor des Wagens an.

Warum waren sie hier so lange im Wagen sitzengeblieben, versunken in den Anblick des Hauses, da er doch mit ihr über die Passhöhe hinaus in den Süden hätte fahren können? Wieder hatte er sich verweigert, hatte nicht mit ihr in die Sonne reisen wollen, wie schon tags zuvor nicht, auf dem Friedhof vor dem Grab des Freundes Salomon. Es war, als ob ihn das Dunkle stärker anziehe. Das Haus hatte er ihr zeigen müssen, wo sich die ersten Jahre abgespielt hatten, nicht den Süden seines Landes, die Helligkeit. Die Schwerkraft des Unglücks schien ihn nicht frei zu lassen.

Im Hotelzimmer nahm sie sich wieder den Skandinavien-Prospekt vor, den sie mitgenommen hatte, um die einzelnen Reisevorschläge zu studieren. Einen Urlaub plante sie für den kommenden Sommer, eine Reise weder zu zweit, noch zu dritt oder viert, sondern allein. Oslo hatte sie erwogen, von dort aus eine Reise mit dem Nachtzug nach Bergen. «An der Westküste Norwegens liegt die Fischerstadt Bergen», las sie auf Seite 45 ihres Prospekts. «Der sehenswerte, gut überblickbare Stadtkern mit den vielen Cafés und Einkaufsläden, die Brygge und der Aussichtspunkt Flöyen locken immer mehr Besucher in die bezaubernde Fjordstadt. Als Startort der Hurtigruten-Postschiffe hat Bergen zudem eine zentrale Bedeutung für Skandinavien-Touristen erhalten. Es lohnt sich durchaus, einige Tage in dieser Stadt zu verbringen, die mit den bunten Fassaden ihrer Häuser, im Wechsel mit strahlendem Weiss, ein südliches Flair vermittelt.»

Sie vertiefte sich in das Bild Bergens. Tatsächlich schien die Stadt entfernt an eine Siedlung im Süden zu mahnen, an eine Stadt mit Wärme und Farbe, Licht und Lärm. War es denn eigentlich dies, was sie anzog, und suchte sie vielleicht gar in der falschen Richtung, im Norden, was doch nur der Süden einlösen konnte? Lange blickte sie auf das Bild und schlief schliesslich ein.

Mit einem gut ausgerüsteten Schiff fuhren sie los. Es war wiederum eine klare Nacht, und der Arktisfahrer wollte ihr Eisberge zeigen. In der Kälte, die regierte, hätte sie gerne seine Nähe gesucht, aber sie fürchtete trotz allem eine Berührung mit ihm. Er wohl auch eine mit ihr. Leise summten die Motoren, und er wies sie an, ihren Blick über den Bug hinaus in die Ferne zu richten.

Die Eisberge tauchten auf, stumme Gesellen, wilde Kerle vor dem Horizont. Näher und näher rückten sie heran, und jetzt, rief der Arktisfahrer ihr zu, schauen Sie genau hin.

Sie glühen, die Eisberge, als trügen sie ein Feuer in sich, rief sie.

Sie sehen schon richtig, sagte da seine Stimme. Ich bin nämlich gar nicht Arktisfahrer, sondern Höllenforscher, endlich muss ich das berichtigen. Immer waren Sie auf der falschen Fährte. Meine Expeditionen unternehme ich nicht ins Eisland, sondern – Na ja, jetzt wissen Sie's.

Das Zimmer

Er wolle ihr heute die Interna des Klinikkörpers vorführen, sagte er am nächsten Morgen. Zehn Minuten zuvor hatte er wiederum telefonisch seine Ankunft gemeldet.

Die Universitätskliniken lagen ausserhalb der Stadt auf einem Hügel. Schon von weitem erblickte man den Gebäudekomplex mit den breiten Fronten, in welche die Fenster wie Waben eingelassen waren. Keine touristische Sehenswürdigkeit, dieses Klinikviertel, dachte sie; warum nur liess sie sich von ihm dorthin führen, an einen Ort, wo es nach Putz- und Desinfektionsmitteln roch. Sofort nahm sie es wahr: dass sie sich hier nicht in einer jener durchgestylten Kliniken befand, die mit modernem Design, Farben und Pflanzen Patienten und Besuchern den Aufenthalt in einem Fünfsternhotel suggerieren wollten. Hier war alles alt, unverstellt, beinahe hässlich. Vermutlich war seit Jahrzehnten nichts mehr renoviert worden. Es gab keine geräuschlosen Türen, welche die Zimmer schalldicht verschlossen, sondern hier standen die Räume offen, man sah zerwühlte Betten, herumschlurfende Patienten, Essensreste auf Tabletten, bereitstehende Brechschalen. Sie musste Ekel unterdrücken. Am liebsten wäre sie heimlich verschwunden, hätte der «Universitätsklinik für Thorax-, Herz- und Gefässchirurgie» den Rücken gekehrt.

Doch er hatte bereits den Knopf des Aufzugs gedrückt. Im dritten Stockwerk öffnete er eine Tür, die seinen Namen trug. Sie aber blieb im Korridor vor einer Reihe von Schautafeln stehen, auf die sie mit einer Mischung von Abwehr und Faszination blickte.

Koronarchirurgie, erklärte er. Bypass-Operationen – das seien heute Routineangelegenheiten, ebenso die Dilatationen, bei denen eine Sonde durch einen Einstich in der Leistenregion über das Arteriensystem an die Verengungsstelle geführt werde. In die Spitze der Sonde sei ein Ballon eingebaut, der aufgeblasen werde, um die Verengung auszuweiten. So könne die betroffene Herzkranzarterie wieder durchlässig werden. Die Dilatation habe den Vorteil, dass keine Herzoperation nötig sei, der Brustkorb also nicht geöffnet werden müsse.

Auf weiteren Tafeln könne sie Einblicke in die Schrittmacher- und Herzklappenchirurgie erhalten.

Nein danke, sagte sie.

Er schien ihre Antwort nicht zu beachten, fuhr ungehindert weiter. Vor einiger Zeit sei auch eine angiologische Abteilung eingerichtet worden, mit einem der modernen Verfahren, um den Zustand der Koronargefässe festzustellen. Dabei werde wiederum in der Leistengegend des Patienten ein Katheter eingeführt, der dann durch die Aorta bis zum Herzen und seinen Gefässen weitergeleitet werde, während der Patient, dem eine Kontrastflüssigkeit eingespritzt worden sei, alles auf dem Monitor beobachten könne. Wenn die Spitze des Katheters (oder der Sonde, wenn Sie lieber wollen) die Herzwand berühre, so ergäbe sich unwillkürlich eine Kontraktion des Herzmuskels.

Sie sah sich in seinem Klinikbüro um. Es war ein langer, schmaler Raum, der sie an die Professorenzimmer einstiger Internate erinnerte, nicht aber an die kühl und funktional eingerichteten Ordinationsräume medizinaler Grössen in ihrem eigenen Land, wo nichts sichtbar zutage trat, sondern hermetisch in ausgeklügelten Schubladensystemen verborgen lag. Hier aber türmten sich Bücher, Ordner mit Krankengeschichten und Korrespondenzen, Berge von Post und amtlichen Formularen, und vom Sofa («mein west-östlicher Diwan», sagte er) musste er etliche Stösse wegräumen, um ihr einen Sitzplatz zu verschaffen. Er setzte sich an sein Pult, begann etwas zu suchen, und da fand er es: etliche schwarze Hefte in Quartformat. Dies seien seine Entwürfe, sagte er. Entwürfe zu Gedichten, Prosaskizzen, Erzählungen. Er schlafe nachts nicht mehr so gut wie ein junger Mensch, wache auf und finde den Schlaf nicht wieder. Statt sich abzuquälen, setze er sich an den Tisch und schreibe – ein, zwei, drei Stunden. Morgens stehe er früh, meist um fünf, auf und fahre mit den Notizen weiter. Tagsüber ergebe sich nochmals eine Möglichkeit zum Schreiben während der Mittagspause in der Klinik, sofern ihn die Oberschwester nicht zu einem schwierigen Fall herbeizitiere. Daraus habe sich im Lauf der Zeit ein regelrechter Rhythmus zwischen dem Schreiben, der Berufsarbeit und den Schlafzeiten ergeben, die er strikt einhalte. Wie ein Mönch im Kloster. Und daher sei dieses Zimmer eigentlich auch sein Scriptorium, und seine Regel laute: Scribe et labora. Benedikt, der kluge Mann aus Nursia, habe sehr wohl gewusst, warum er die Mönchsgemeinschaft diesem rhythmischen Wechsel von Gebet und Arbeit unterworfen habe. Solche Ordnung sei mehr als blosse Ordnung – etwa im Sinne von Gängelei oder Pedanterie –, sie sei vielmehr ein Schutz gegen das Chaos, das sich auch in die Mönchsseele drängt. Nur mit der Hilfe dieser weisen Ordnung könne der Mönch seinem Weg in aller Treue folgen, und er habe sich diese Regel des abendländischen Mönchtums zu eigen gemacht, kehre sich von ihr nur ab, wenn z. B. so ein Autor aus dem Ausland, der in ihrem Fall eine «gnädige Frau» sei, zu einem Besuch eintreffe.

Er drehte sich auf seinem Bürostuhl ihr zu. Im Ernst – begann er fortzufahren –, er habe, je älter er geworden sei, sein Leben immer mehr nach dem wahrhaft Bedeutsamen ausgerichtet. Small talk, Parties, unnütze Verabredungen lägen ihm fern. Nur so erlange man wieder Zeit: Zeit für das, was herzenswichtig sei. Daneben habe diese Regel, von der er vorhin gesprochen habe, für ihn noch eine besondere Bedeutung erreicht. Sie schütze ihn ein Stück weit vor der Hölle in der Höllengasse, wo er sich stets fühle wie einer, der auf vulkanischem Boden stehe. Sie wissen, was ich meine. Wenn meine Frau in der manischen Phase steckt, so muss ich mich vor ihr in diese Ordnung hineinretten. Ich muss sozusagen meine inneren Türen schliessen, damit die Hasstiraden mich nicht im Innersten treffen. Mein Herzmuskel wäre sonst permanenten Kontraktionen unterworfen, um im Bilde zu bleiben. Wissen Sie, diese Abwertungen, welche in solchen Momenten meine Frau an mir vornimmt, sind von teuflischer Verführungskraft. Man muss sich mit Haut und Haar gegen sie wehren, um nicht schliesslich der Mensch zu werden, der man in der Einbildungskraft solcher Kranken ist. Pirandello und Roth, Joseph Roth, haben es kaum geschafft; sie haben sich während Jahren mit den Angriffen ihrer geisteskranken Frauen gequält, haben an deren Inhalte bisweilen geglaubt. Leiht man solchen Attacken das Ohr, ist man im Begriff, den eigenen Untergang zu inszenieren.

Natürlich habe er solches während vieler schwieriger Jahre erlernen, sich buchstäblich fast antrainieren müssen. An die Stelle der Abwertung sei die Selbstbekräftigung zu setzen. Es amüsiere ihn, wenn er höre, dass das heute ein Postulat der Frauen sei. Als ob nur sie diese Selbstbekräftigung nötig hätten. Wie viel mehr noch die Männer.

Er reichte ihr eines der schwarzen Quarthefte hinüber. Sie öffnete das Heft, und wie ein Blitz durchfuhr es sie wieder, als sie die Schrift, seine Handschrift erblickte, die sie schon früher an eine ganz andere Schrift erinnert hatte, nur war ihr damals der Name des Schreibers nicht eingefallen. Jetzt wusste sie es unversehens: Seine Handschrift erinnerte sie an die Schrift in jenem kleinen Büchlein des Dichters aus Czernowitz, das einstmals als Faksimiledruck in einer limitierten Auflage auf den Buchmarkt gekommen und allzu rasch verkauft war, als dass sie noch ein Exemplar gekriegt hätte. Was sie nachher immer wieder bedauert hatte. Sie erzählte ihm davon, und da begann er wieder in seinen Schubladen zu kramen, zog dann ein schwarzes Büchlein hervor, eben eines jener von ihr vergeblich gesuchten Exemplare, und reichte es ihr herüber. Beinahe gierig griff sie danach, hielt die beiden Schriften nebeneinander, und der Vergleich entdeckte ihr tatsächlich eine verblüffende Ähnlichkeit. Sie sagte es ihm unumwunden. Da erzählte er ihr, dass der Dichter aus Czernowitz ihn in jüngeren Jahren mehrmals besucht, dass er selbst eine Paraphrase auf dessen Text «Gespräch im Gebirg» geschrieben habe, welche vom Sender der deutschsprachigen Bevölkerung seiner Stadt produziert worden sei. Die Affinität möge sie wohl erschrecken (ja, sie gab es sofort zu, meldete auch ihre Bedenken gegenüber einer solchen Affinität an, welche die Gefahr des Epigonentums bezeichne), aber er glaube um die von ihr erwähnte Gefahr zu wissen. Allerdings sei in bestimmten Zeiten die Sogwirkung stark gewesen, und wie viele Entwürfe habe er zerrissen, weil sich immer der Ton des andern, der Ton aus Czernowitz, einschlich! Er habe sich selbst entdecken, sich selbst aus all diesen verlockenden Umklammerungen befreien müssen, um den eigenen Ton zu finden. Welch ein Wunder aber sei es gewesen, als er endlich diesen Ton gefunden habe. Da sei er sich selbst gegenübergestanden, Auge in Auge, und bis in die Herzkammer hinein erschüttert, nicht anders könne er es sagen. Musik klinge aus dem eigenen Wesen heraus, zaghaft vorerst, dann vernehmlicher. Es war die Stunde seiner zweiten Geburt. Wie im Fieber habe er den Worten nachgelauscht, die sich auf das Papier drängten. Eine Welt hätte er in dieser Stunde umarmen mögen, und verjüngt sei er nach Hause, in die Höllengasse, zurückgekehrt. Ganz still sei es dort gewesen, sowohl in seinem Hausteil wie in jenem der Frau. Unsagbar still, wie die Ruhe nach dem grossen Sturm. Wieder einmal habe er es gewagt, in die Räume seiner Frau einzutreten, als ein Fremder, der von aussen eindringt, und da habe er sie in ihrem Schlafzimmer gefunden, lang auf dem Bett ausgestreckt, in ihren schwarzen Kleidern, die sie von Zeit zu Zeit trüge, mitten in den weissen Bettlaken. Ein Stich sei ihm durchs Herz gefahren: Da liegt sie, deine Dämonin, und ist dir doch einst als Gefährtin beigegeben worden. Scheint tot zu sein, damit deine zweite Geburt möglich wird, und ruht doch nur bis zum nächsten Ausbruch des Orkans. Lange habe er sie betrachtet, als Arzt wieder einmal die depressive Phase konstatiert, als Mensch aber –

Er fuhr nicht weiter. Sie blickte zu ihm auf. Sah, dass es um seine Lippen gefährlich zuckte.

Ist ja gut, sagte er, wie um sich selbst zu ermuntern.

Zusammen setzten sie sich auf seinen «west-östlichen Diwan», und er zeigte ihr seine Lieblingsbücher: Bücher mit Widmungen, Bücher von besonderem bibliophilem Reiz, Bücher mit interessanten Bilddokumentationen. Vor ihr aber zogen die Eisberge vorüber, mit dem Arktisfahrer stand sie an der Reling des Schiffes, und wieder glühten diese Eisberge von innen heraus, aber plötzlich schoss aus einem von ihnen eine Flamme, weitere züngelten ebenfalls empor, und in diesem Augenblick spaltete sich einer der Eisberge knallend. Rinnen öffneten sich, die Stücke barsten auseinander, sprudelnd und klatschend spritzte Wasser empor, während die Fragmente der einstigen Riesen schwankend hinwegtrieben, immer weiter zurückglitten und dabei zersplitterten. Und die Sicht wurde frei auf den Horizont.

Die atlantische Therapie

Er schlage ihr vor, nun wieder in die Stadt zurückzufahren. Auf halber Strecke wisse er ein gemütliches Lokal, ein bisschen bohémienhaft, aber das werde ihr wohl nichts ausmachen.

Das Gasthaus entpuppte sich als Hort kulinarischer Köstlichkeiten. Er bestellte aber nur wieder einen Wein und kaltes Fleisch, sie dagegen entschloss sich angesichts der, kühlen Witterung für ein pikantes Nudelgericht. Während sie auf die Speisen warteten, schob er unwillig eine Zeitungsausgabe beiseite. Wie sie mit einem Seitenblick bemerkte, musste es sich um eines der Organe der deutschsprachigen Bevölkerung dieser Stadt handeln.

Wissen Sie, sagte er, in dieser Zeitung stand vor einigen Wochen ein Verriss meines Gedichtbandes, geschrieben von einem meiner liebsten Feinde. Ausgerechnet in dieser Zeitung, an deren Echo mir einiges liegt. Ihre Kolleginnen und Ihre Kollegen verfahren bisweilen recht unzimperlich mit unsereinem.

Sie wisse es, sagte sie, höre Klagen rechts und links über verletzende, schludrige, unsachgemässe, farb- und lieblose Kritiken. Dennoch gebe es auch die aufbauenden und gleichwohl kritischen Rezensionen. Ob er sich denn sehr geärgert habe?

Und wie, es ändere nichts daran, dass man älter werde, im Gegenteil: je älter, umso verletzbarer. Drei Tage lang sei er mit einem Klumpen im Magen herumgegangen, habe die Rezension immer wieder hervorgeholt und den Text nach dem Subtext abgeklopft. Immer wieder sei von neuem eine Hässlichkeit auf ihn losgesprungen, und er habe im stillen bereits eine Replik entworfen, habe Punkt um Punkt widerlegt, Gefechte mit dem Rezensenten geführt. Aber irgendwann habe ihn die Klinikarbeit wieder in den Bann gezogen, habe ihn von diesem Schattenboxen abgelenkt.

Sie wüsste ihm eine heilsame Therapie; es irritiere sie zwar, dass sie als Dilettantin solches einem Arzt sagen müsse. Übrigens, die Rechnung für diese Therapie könne er ja dem Rezensenten oder der Rezensentin schicken.

Er schien belustigt. An den Kritiker ja, an die Kritikerin nein, letzteres verbiete ihm die Höflichkeit. Aber um was für eine Therapie es sich denn handle? Bachblüten, Aromaessenzen, Kristalle? Als alter Schulmediziner sei er diesen alternativen Heilpraktiken gegenüber skeptisch eingestellt. Gleichwohl, sie solle ihre Therapie erläutern.

Sie fliegen auf meine Insel der Feuerberge. Vom Flughafen aus fahren Sie mit einem Mietwagen in den Westen zur sogenannten Grünen Lagune. Da befinden Sie sich mitten im Vulkangebiet. Die Grüne Lagune ist nichts als ein halbmondförmiger See. Zwischen ihm und dem Meer liegt der schwarze Kiesstrand, dahinter erhebt sich die Wand eines ehemaligen Vulkankraters, welcher je nach Sonneneinfall hell- oder tiefrot schimmert. Und jetzt setzen Sie sich an den Kiesstrand und lassen die Wellen heranrollen und wieder zurückgleiten. Immer dieses Spiel, vor und zurück, dabei die Brandung im Ohr. Man ist entzückt, und langsam vergisst man die Banalitäten, eben zum Beispiel so eine dumme Kritik, denn hier zählen nur noch Wasser, Steine, Berge, Himmel.

Wie nennen Sie Ihre Therapie?

In der einschlägigen Fachliteratur könnte ich sie als atlantische Therapie einführen, vielleicht auch als eine besondere Spielart der traditionellen Thalassokuren.

Gewiss, die Balneologie erführe hierdurch eine interessante Bereicherung. Er lachte. Auf jeden Fall will ich mir Ihre Therapie merken. Aber ich wittere auch hier wieder Ihren Hang zur Askese. Sie sagen: nur Wasser, Steine, Berge, Himmel. Brrr, das ist die reinste Ausnüchterung für einen Jünger des Whiskys wie mich.

In gewissem Sinne ja, gab sie lachend zu. Aber es sei schwierig zu erklären, man müsse es erfahren haben: Wasser sei hier der Inbegriff von Wasser, Berge seien wirklich Berge, schroffe Kerle, der Himmel selbst unermesslich, man spüre sozusagen das Universum, und die Steine schliesslich: sie seien oft von geradezu monumentaler Grösse, wie dieser Brocken unmittelbar vor der Küste, den die Brandung zerfresse und den sie für sich «el monumento» nenne. Sie sehe Fratzen und Figuren in ihm, den König und den Diener, manchmal auch den Propheten mit hoch erhobenem Arm und den Kobold, der in sich hineingrinse.

Die Insel scheint Sie zu beflügeln, und wenn Sie so weiterfahren, entwischen Sie mir noch auf Pegasus' Rücken. Soviel habe ich nun begriffen, glaube es wenigstens, dass nämliche Ihre Askese, sofern sie überhaupt als solche bezeichnet werden kann, nichts mit Griesgrämigkeit zu tun hat. Eher mit Berauschung, ja – warum nicht mit Ekstase, einer nüchternen Ekstase, wenn Sie erlauben. Es scheint mir, dass Sie dort, auf Ihrer Insel der Feuerberge, glücklich gewesen sind.

Ja, sehr glücklich sogar. Abgehoben, losgelöst.

Könnten Sie einem Menschen wie mir verraten, worin denn Ihr Glück dort bestanden hat?

Sie zögerte. Gerade ihm, dem Arktisfahrer gegenüber, hegte sie eine ausgesprochene Scheu, «ihr» Glück zu erläutern. War es nicht, als ob man einem

Hungernden von einem exquisiten Menu vorschwärmt, also fast etwas Obszönes? Und – liess sich denn das Glück überhaupt erklären? War es nicht ein frag- und eben darum ein sprachloser Zustand? Es mochte ihm vielleicht unbegreiflich scheinen, dass sie dazu nichts als ihr kleines Haus auf jener Insel brauchte – und welch einsam gelegenes Haus es war! Mitten in den Weinbergen von La Geria, und ringsherum nichts als diese Vulkanerde, schwarz und glänzend –, eine Küche mit Obst, Fleisch und Gewürzen, dazu ein Buch, Sonne, Stille und das Lachen von Don Felice. Der hiess zwar in Wirklichkeit anders, trug einen bürgerlichen Namen und war aufgrund der Eintragung im Zivilstandsregister ihr Gatte.

Sie antworten nicht?

Es falle ihr schwer, eine Antwort zu geben. Das Glück sei nicht leicht zu fassen, noch weniger liesse es sich halten, und wie es ihm also erklären? Immer lebe in ihr auch das Wissen um die Brüchigkeit. Glück sei wohl kaum ein Zustand, nur eine Ballung von Momenten. Und dass sie gerade auch auf ihrer Insel immer wieder Augenblicke erlebt habe, wo sich ihr die Kehrseite des Glücks entdeckte. Dass sie einmal abends noch zur Grünen Lagune gegangen sei, als schon die ersten Sterne geglänzt hätten, dass sie da am Saum des Wassers ein Paar erblickt habe, einen Mann und eine Frau, die sich umschlungen hielten, mit einer Hingabe, die ihren Blick angezogen habe, zu diesem Paar, das beinahe nicht mehr voneinander loszukommen schien, weil es in der Umarmung schon den Abschied spürte. Der Himmel sei immer dunkler geworden, und nur die weisse Jacke der Frau habe sich hell von der Wand des Vulkankraters abgehoben.

Liegt es nicht vielleicht sogar jenseits von Glück

und Unglück, was Sie mir von Ihrer Insel erzählen? Vielleicht ist es die Stille, der Friede?

Ich weiss es nicht, sagte sie. Wüsste ich es, so würde alles schon wieder zerrinnen, und vielleicht ist das Glück zuletzt viel einfacher beschaffen, als wir denken.

Der erste Abschied

Es wurde spät an diesem Abend. Es sah so aus, als ob sie beide, der Mann und die Frau, etwas willentlich hinauszögern wollten. Denn die Frau fuhr am folgenden Tag wieder nach Hause, und also galt es, voneinander Abschied zu nehmen. Aber sie wich diesem Abschied aus, indem sie unversehens zu leichten Geplänkeln überging. Er tat es ihr gleich, griff zu neckischen Bemerkungen. Als er ihr im Restaurant in den Mantel half, konnte er es sich nicht verkneifen, den Gürtel eben dieses Mantels einen Bussgürtel zu nennen und dass man daraus einmal mehr ihren Hang zur Askese ersehe. Aber natürlich war dies alles so gründlich falsch und so verzweifelt daneben in dieser Stunde des Auseinandergehens, dass ihr überhaupt nichts mehr einfiel. Sie schwieg und ging neben ihm her durch die nächtliche Stadt, und erst im Schweigen, in das auch er jetzt einstimmte, glaubte sie, wieder zu ihm zurückzufinden.

Und wieder begann es zu schneien, Flocke um Flocke, wie schon vor wenigen Tagen, als sie in der Stadt angekommen war. Alles wurde zugedeckt, Schicht um Schicht, die sich auf die Seele ablagerte. Zuletzt sah man keine Kerben, keine Narben und schon gar keine Wunden mehr, nur die weisse Fläche mit geringen Erhebungen und Vertiefungen. Auch die Schreie im Herzen wurden leiser, wurden von diesem Flockenfall beschwichtigt, und man würde vielleicht ganz leicht einander die Hand zum Abschied geben, dem Menschen gegenüber, der zu einem Teil der eigenen Geschichte geworden war, in die Augen schauen und sagen: Ich gehe nun, leben Sie wohl.

So hatten sie zusammen das Hotel erreicht, wo sie noch eine letzte Nacht verbringen würde. Ich gehe nun, leben Sie wohl, sagte sie, aber es war, als ob eine andere aus ihr spräche: eine sogenannt vernünftige Frau. Die unvernünftige Frau aber hätte gern den Mann umarmt, ihn geküsst, ihn festgehalten (und blitzschnell schoss ihr in diesem Moment das Bild jenes Paars vor der Grünen Lagune durch den Kopf, das sich ganz der Umarmung hingegeben hatte). Doch war es nicht nur die Vernunft, die sie zurückhielt, sondern auch die Furcht, die Berührung könnte etwas wecken: ein Feuer, das sie vernichten würde.

Nur eines noch, sagte sie. Wenn Ihnen elend zumute ist, wenn Sie mit Gedanken an den Tod umgehen, bitte, lassen Sie es mich wissen. Ich werde kommen.

Liebe, gnädige Frau, ich kann Ihnen nichts versprechen. Aber dass Sie in meine Stadt gekommen sind, wird für mich immer ein Wunder sein.

Er hielt ihre Hand, sie liess sie ihm. Schliesslich sagte er: Was auch geschieht, die Tage mit Ihnen werden unverloren sein. Leben Sie wohl. Und er küsste ihre Hand.

So war es. Und schon vorbei. Schon war er in der Gasse verschwunden, als sie vom Hoteleingang aus noch einmal zurückschaute, nach seiner Gestalt spähte. Und natürlich war er längst über die Brücke gegangen, hinüber ans andere Ufer, in die Höllengasse, als sie oben im Zimmer noch einmal das Fenster öffnete und Ausschau hielt.

Sie würde die Stadt erst am Mittag des folgenden Tages verlassen. Es blieb daher am Vormittag genügend Zeit, um das städtische Museum zu besuchen. Dort hing sein Bild, wie er ihr erzählt hatte, ein Porträt aus früheren Jahren, von einer Künstlerin ausgeführt, da er gegen die vierzig ging. Mit angespannter Wachsamkeit ging sie durch die Säle voller Madonnenfiguren, Altäre, Heiligenskulpturen, bis sie die moderne Abteilung erreichte. Eine unbarmherzige Kälte herrschte in all diesen Räumen, sie war darauf nicht gefasst, da doch sonst in Museen meist eine unangenehm warme Luft lagert, die ihr bisweilen Übelkeit verursachte. Hier drinnen aber war es so kalt, dass die Garderobenfrau ihr entschieden davon abriet, Mantel, Hut und Foulard abzugeben. Sie werde um all diese Dinger noch froh sein, meinte sie lachend.

Hat Ihre Heizung eine Panne? hatte sie gefragt.

Nein, reine Sparmassnahmen.

Sein Bild hing allein an einer Seitenwand, ein stark in die Länge gezogenes Hochformat, als ob es sich der realen Grösse des Porträtierten anpassen wollte. Er sass in einem Sessel, unmerklich zurückgelehnt, aber auf keinen Fall die Haltung verlierend. Abweisend, dieser Mann, geradezu arktisch, musste sie sich eingestehen. Die Farben seiner Umgebung standen zu diesem Eindruck in auffallendem Kontrast, es waren satte südliche Farben, Farben von Früchten und Pflanzen, ein Violett, ein Gelb, Grün und Orange, Anklänge an Matisse, Reminiszenzen an mediterrane Gegenden wie etwa die Côte Vermeille, wo Matisse mit seinen Malerfreunden gelebt hatte. Namen stiegen in ihr auf, freundliche Namen waren es, voller Sonne und Freude. Und mittendrin sass diese Figur, dieser kaum vierzigjährige Mann, eine akademische Karriere vor sich, vielleicht auch eine Geliebte an seiner Seite, und da blickte er vor sich hin, ein Einsamer, mitten im warmen Leben.

Was war nur mit ihm geschehen, schon damals?

Rechtzeitig fand sie sich auf dem Bahnhof ein. Im geheimen hoffte sie, er werde plötzlich auftauchen, um sie nochmal zu sehen. Mehrmals glaubte sie, in der Ferne seine Gestalt zu erkennen, aber es war nichts, zerrann im Nebel und Schneeregen. Noch im Zugsabteil, als sie neben einer Familie Platz genommen hatte, guckte sie immer wieder aus dem Fenster und glaubte bis zuletzt, er käme auf den Bahnsteig. Schliesslich schalt sie sich selbst, aber gleichwohl sank sie in diesen Momenten um Jahrzehnte zurück, in jenes Alter, da man das Herz mit tausend Wünschen besetzt hat: vielleicht kommt er heute, vielleicht ruft er an, vielleicht schreibt er, und man hetzte dann zwischen dem Telefonapparat, der Haustüre und dem Briefkasten hin und her, machte vieles falsch oder liess immer wieder einen Schirm irgendwo liegen, weil es zog und zog im Herzen. Das dumme Herz. Älter war es geworden und gleichwohl nicht gefasster. Noch immer schlug es verrückt, sprang wie ein wildes Pferd durch die Gegend, beispielsweise durch einen Bahnhof wie jenen der Stadt am Fluss. Und dabei hätten die kommenden Fahrstunden mit sinnvoller Arbeit genutzt werden können. Man hätte endlich das dicke Buch über den Renaissancegelehrten zu Ende lesen können, um danach die fällige Besprechung zu schreiben. Aber an Ruhe war nicht zu denken. Nicht nur redete beständig die Familie im gleichen Abteil, die anscheinend zu einer Beerdigung ins Ausland fuhr, sondern auch in ihr selbst redete einer – eindringlich, manchmal zwar leiser, als ob sich die Stimme wegstehlen wollte, dann wieder nah am Ohr ihres Herzens. Diese Stimme. Sie war nicht zu bannen. Eine verflixte Angelegenheit.

Das hielt an, zwei, drei, vier Wochen, vielleicht noch länger. Äusserlich war sie längst wieder in die Alltagsgeschäfte eingetaucht, innerlich aber horchte sie der Stimme nach, lächelte manchmal vor sich hin, etwa wenn sie den Mantel mit dem «Bussgürtel» aus dem Schrank holte, aber klug wurde sie weniger denn je. Das heisst: sie konnte der Verwirrung keinen Namen geben. Die einen Begriffe, die ihr einfielen, waren zu grossartig für ihre Geschichte, die anderen glitten daran vorbei. Sie holte seinen Gedichtband hervor, schlug ihn auf. «Es wird rasch Himmel sein,/ Feuer ist Feuer,/ ob du nun Hand bist oder nicht . . .» Sie schrieb die Strophen ab, fügte sie in ihren Brief ein, den sie endlich an ihn richtete. Dachte, es werde ihr nun vielleicht leichter oder klarer oder –

Auf ihren Brief habe er «hart» gewartet, schrieb er in seiner Antwort, die sie rasch erreichte. Ob des «harten» Wartens musste sie lächeln. Doch sofort stockte ihr Herzschlag. Denn diesen Satz hatte er hingeschrieben: «Was wir beim Abschied empfunden haben? Beide das gleiche. FEUER IST FEUER.»

Er schrieb nun öfters, und sobald sie die Briefe öffnete, stieg ein Tabakduft aus dem Umschlag, der sich aber leider verflüchtigte. Fünfzehn Pfeifen besitze er, und sicher sei sie froh, dass sie den Raucher losgeworden sei, schrieb er einmal. Das möchte sie keineswegs behauptet haben, entgegnete sie. Wie denn sonst liesse sich erklären, dass sie ab und zu das Klavierstück «Erbauliche Gedanken eines Tabakrauchers» (nach den Notenheften der Anna Magdalena und des Wilhelm Friedemann Bach) spiele, gleichsam um sein Tabakarom in Töne umzusetzen, wenn dieser Duft schon nicht zu halten sei.

Einmal rief er sie an. Aber da sie erschrak und sich ihre Stimme sofort belegte, blieb sie etwas einsilbig. In den Briefen dagegen war sie beredt. Auch beschwor sie ihn wieder, sich zu melden, wenn es schlimm um ihn stünde. Er schrieb ihr darauf: «Solange ich schreiben kann, kann ich wahrscheinlich auch leben. Wenn nicht mehr, dann werde ich wie der verlorene Sohn zum Vater heimgehen, und Sie werden mir verzeihen. Bedenken Sie die Müdigkeit.»

Natürlich wühlten die Sätze in ihr. Und um darüber hinwegzukommen, griff sie zu Unverfänglichkeiten, lud ihn ein, die Klee-Ausstellung in ihrer Stadt zu besuchen, weil sie wusste, dass gerade er in besonderer Weise an diesem Künstler hing. Aber nun ging wiederum er nicht darauf ein. Überhaupt schien es, dass ihre Wege auseinanderstrebten.

Einmal rief er sie zwar wieder an, fragte auch, woran sie gerade arbeite. Ach, sagte sie scheinbar leichthin, sie beginne an einer Geschichte über einen Arktisfahrer in einer Stadt am Fluss zu schreiben. Was für einer Stadt am Fluss, fragte er, nicht ohne Neugier, wie sie konstatierte. Das ist keine reale Stadt, sondern eine Konglomeratsstadt. Er darauf: Konglomeratsstadt, wie soll ich das verstehen? Sie wiederum: Wissen Sie, eine Stadt, die sich aus lauter Elementen bekannter Städte, besonders der einen Stadt, zusammensetzt, aber letztlich eine erfundene Stadt ist. Une ville imaginaire. Es hat demnach keinen Sinn, diese Stadt identifizieren zu wollen.

Aber Ihr Arktisfahrer, was hat es damit für eine Bewandtnis?

Der ist beileibe kein Konglomerat, sondern ein Unikat, und kein pflegeleichtes. Sie lachte. Nur – er redet und redet, tagsüber jedenfalls, und auf Forschungsreisen begibt er sich nur nachts.

Er ist demnach ein rechter Rabe, Ihr Arktisfahrer, wenn ich Sie richtig verstanden habe. Raben wissen zu reden, aber sie verstehen nicht zu singen.

Nun aber genug damit, oder wollen Sie mit mir ein zoologisches Kolloquium abhalten?

Ich füge mich, Gnädigste, nur lassen Sie, ich bitte Sie sehr darum, Ihren Arktisfahrer nicht zu lange im Eis treiben oder gar dort untergehen.

Schon wollte sie das Telefonat beenden, da räusperte er sich, fragte nach der Dauer der Klee-Ausstellung in ihrer Stadt. Sie gab ihm die Daten an, lud ihn nochmals ein, in ihre Stadt zu kommen. Er meinte, dass er irgendwann – so Gott es gebe – auftauchen werde, die Ausstellung locke ihn.

Als sei sie eine Vorkosterin, suchte sie bald, nachdem die Klee-Ausstellung eröffnet war, das Museum auf, ging durch die Räume, malte sich aus, was er sich wohl zu den Zeichnungen und Gemälden denken würde. Ein Blatt stach ihr besonders ins Auge: Le Créateur – der Schöpfer, eine fliegende Gestalt auf sattem Rosagrund, in ein flatterndes Gewand gekleidet, so dass sie viel lieber denken mochte, der Schöpfer sei eine Frau, une Créatrice, und diese Klee-Figur eine Beschwörung der weiblichen Potenz. Mehrmals besuchte sie die Ausstellung, ging immer wieder hin zu diesem Bild. Doch ertappte sie sich dabei, dass sie jedes Mal von einer inneren Unrast ergriffen wurde, sobald sie das Museum betrat. Immer erlag sie der Hoffnung, unversehens ihn hier wiederzusehen, und einmal gar ging sie hinter einem Besucher her, verfolgte ihn beinahe, um endlich, nachdem er sich ihr zugekehrt hatte, enttäuscht festzustellen, dass es sich um einen völlig anderen Menschen handelte. Keine Spur des Arktisfahrers.

Jene Unrast aber entsprach genau dem Gefühl, das sich damals in ihr einnistete, als man den Vater tot aus dem Haus getragen hatte. Die Vernunft sagte ihr: Dein Vater liegt jetzt einige Meter unter der Erde, draussen auf dem Friedhof, beschützt von den Bergen, die sich über ihn neigen. Das Gefühl aber raunte ihr zu, dass er wieder zurückkomme, dass es irgendwann einmal an der Haustür klingeln werde, dass sie, wie immer sonst, durch die Fensterscheibe gucken würde, um nachzusehen, wer draussen stehe. Er wäre es dann, wer denn sonst als ihr Vater, und als ob nichts geschehen, als ob alles nur ein garstiger Traum gewesen wäre, würde sie auf den Türöffner drücken, sagte vielleicht nur: Aber, Papa, wo bist Du denn wieder so lange gewesen? – Mehrmals erwachte sie mitten im Schlaf, glaubte die Klingel zu hören, hastete aus dem Bett, um die Tür zu öffnen. Aber es war weniger als ein Schatten, was sie genarrt hatte. Diese peinigende Unruhe, immer wieder von neuem, bis das schmerzliche Wissen über die Gefühle siegte. Tot war der Vater. Für immer.

Er kam also nicht, besuchte weder sie noch die Klee-Ausstellung. Und es gab dieses Gefühl des ziellosen Wartens, den Zustand des Schweigens – selbst in dieser kommunikationsbeflissenen Zeit, die keine Distanzen zu kennen schien. Manchmal fürchtete sie, all das Erlebte fliege davon, fort in eine Unwirklichkeit, wo es Name und Gestalt verlöre. Ihre Gefühle nichts als Trugbilder. Und keiner konnte ihr sagen, wie mit ihnen umzugehen sei.

Dazu diese Unruhe, die sie an der Arbeit hinderte. So konnte es nicht weitergehen. Ihr Zustand war reparaturbedürftig.

Da kam ihr ein Umstand zu Hilfe. Ihr Mann Felice überraschte sie damit, dass er für den Frühling einen Urlaubsaufenthalt auf der Feuerinsel buchen wollte, einzig für sie beide. Sie war begeistert, all die widerstrebenden Gefühle mit den tausend verschiedenen Namen zottelten davon. Bitte, auf Nimmerwiedersehn, rief sie ihnen nach. Mit neuer Kraft packte sie die Koffer und freute sich nach der langen Winterszeit auf Sonne, Meer und Wind.

II

Die Insel

Die Nymphen des Sonnenuntergangs, die Hesperiden, hüten auf einer Insel, wo sich Zeus und Hera erstmals liebend umarmt haben, die goldenen Äpfel. Gaia, die Erde, hat sie der Königin des Himmels zur Hochzeit geschenkt.

Solange die Kenntnis der Alten Welt beschränkt war, verlegte man das Land der Hesperiden, Hesperien nämlich, in den äussersten Westen, nach Spanien.

Sie würde indessen behaupten, dass Hesperien draussen im atlantischen Ozean lag, auf der Feuerinsel. Karg erschien dieses Land, viele nannten es öde und mieden es. Nichts als Himmel, Berge und Meer. Die Verkörperung der Leere, des ungeformten Nichts.

Alle schienen sie noch immer auf der Feuerinsel gegenwärtig zu sein, die Kyklopen, Erfinder der Blitze, und die Titanen, welche sich vor langer Zeit im Innern der Erdmutter verbündet hatten. Sie kehrten das Unterste zuoberst, warfen Massen von Erde und Gesteinsklumpen in die Luft, brachten die Lava zum Kochen und spuckten Feuergarben hervor. Die Historiker schrieben dann von Erdbeben und Vulkanausbrüchen, die immer wieder die Bewohner zur Flucht in andere Teile der Insel oder gar zur Auswanderung zwangen. Einst fruchtbare Landstriche lagen nun entvölkert, da war kein Gras, kein Baum, kein Feld mehr, sondern nur eine schwarze Wüstenei von Lavabrocken, spitzem Gestein, über das kein Fuss hinwegzugehen vermochte. Erst nach und nach, im Lauf der Jahrzehnte, trotzten die Menschen diesem ungebärdigen Boden wieder Geschenke ab, spärlich genug zu Beginn, so dass Schweiss, Blut und Tränen flossen. Später dann immer mehr, bis sich die Hügel wieder mit Rebbergen überzogen. Eine eigene Anbaumethode hatten die Bauern entwickelt, um den Widerwärtigkeiten der sengenden Winde, die ins Land enfielen, zu begegnen. Sie legten kleine Trichter an, die sie mit weissen Steinen halbkreisförmig umsäumten, schütteten in die Mulde Lavagranulat, welches die Feuchtigkeit speicherte. So statteten sie jeden Rebstock mit einer Windmauer aus, und all diese Windmauern ergaben, von weitem besehen, auf der schwarzen Lavaerde ein faszinierendes Muster.

Mitten in einem solchen Rebberg hatte Felice ein Haus gemietet. Kein Vorzeigehaus, beileibe nicht. Liess sie später trotzdem Fotos dieses Inselhauses sehen, schüttelten Freunde und Verwandte den Kopf. Es sei gar einsam, meinten sie, auch spartanisch, was der Frau, die doch sonst schönen Hotels den Vorzug gebe, kaum entsprechen könne. Ihr macht mir mein Haus schlecht, klagte sie dann in gespielter Verstimmtheit. Ihr solltet es sehen. Im schwarzen Lavasand liegt es, eine schimmernde Perle, weiss gestrichen, jedes Jahr ein neuer Anstrich, wie es die Inselverwaltung vorschreibt. Und rundherum der Weinberg. Wo sind denn deine Weinberge? fragten hierauf Freunde und Verwandte, wir sehen nichts als schwarze Erde. Schaut genau hin, seht ihr nicht das Muster aus lauter hellen Steinen, das sich den Hängen entlang in die Höhe zieht? Und dahinter die Berge, sieben an der Zahl, meine Feuerberge.

Hier musste Felice ein Lachen unterdrücken. Meine Frau pflegt diese Berge als ihre ureigenen zu betrachten, spricht von «ihren Feuerbergen», weiss der Himmel warum.

Felice, Du kennst den Grund. Seit ich über diese

Berge geschrieben habe, sind sie eben «mein», ich habe sie von allen Seiten betrachtet, ich kenne ihre Farben zu den verschiedenen Tageszeiten, schwarz, grau, rosa bis ockerfarben und bordeaux, und worüber man schreibt, was man zu kennen glaubt, das liebt man. Das sind nicht irgendwelche Berge, sondern «meine wilden Kerle» eben, unnahbar, abweisend, aufsässig, aber manchmal auch wahre Könige, wenn sie frühmorgens daliegen.

Meine Frau gerät wieder ins Schwärmen, entschuldigte Felice in solchen Momenten ihren Redeschwall.

Vergiss nicht die Palme, Mama, warf die Tochter dazwischen.

Was für eine Palme? fragten dann Freunde und Verwandte.

Nichts als eine einzige Palme, weit und breit kein anderes Gewächs. Die Palme steht einfach da, völlig allein, auf sich gestellt, und wenn wir mit dem Auto vorbeifahren, grüssen wir sie, erklärt die Tochter. Wir haben ihr auch einen Namen gegeben, denn sie verdient einen, sie ist so unbeirrbar, unverrückbar, so –

Wie lautet der Name?

Oh, nicht wahr, Mama, den verraten wir nicht, der ist unser Geheimnis.

In diesem Urlaub aber waren sie allein hingeflogen, ohne die Tochter und den jüngeren Sohn. Die Frau war sogar einige Tage früher gereist, da Felice noch irgendeine dringende Abklärung für einen neuen Hochseefrachter beenden musste, wollte er den Übernahmetermin nicht versäumen. So fand sie die Möglichkeit, das Haus wohnlich einzurichten, die ersten Einkäufe zu erledigen und sich an das Klima zu gewöhnen. Es war die reinste Offenbarung, als sie, im Mietwagen dahinfahrend, die lärmigen

Ferienzentren verliess und in die Einsamkeit des westlichen Inselteils eintauchte. Wie da die Helligkeit gleisste, wie die Sonne sie wärmte nach den grauen Schnee- und Nebeltagen zu Hause! Das Tal, wo das Haus ihres Urlaubs liegen sollte, fand sie ohne Schwierigkeiten; schliesslich war es nicht das erste Mal, dass sie die Feuerinsel bereiste. Sie bog rechts ab und fuhr auf der anfangs schnurgeraden Strasse in die Höhe, bis zum Plateau, wo sich ihr eine überwältigende Rundsicht bot.

Sie parkierte den Wagen, verliess das Auto und stand da, mitten im Wind, der summte, rund um sie eine Welt von Bergen und Hängen, dahinter das Meer und überall Wärme, welche sich wie ein schützender Mantel um sie legte. Sie sog die Luft ein und spürte: Wieder einmal war sie angekommen. Das Haus schien sich an den sanften Hang zu schmiegen, lag ohne Nachbarschaft da, allein und in sich ruhend, die Mauern weiss, die Jalousien grün, die Erde schwarz, fast glänzend. So stieg der farbliche Dreiklang der Feuerinsel auf, der alle Nebentöne ausschloss. Das Innere des Hauses war geräumiger, als es von aussen schien. Doch wie die Natur da draussen hatte es sich auch zur Kargheit entschlossen. Holz, Stein und Glas waren die Materialien, und das Dekor nahm die Farben der Natur wieder auf, so dass sich das Drinnen und das Draussen miteinander zu verbinden schienen. Der Eigentümer des Hauses hatte eine Schale mit Früchten auf den Holztisch gestellt, auch einen Willkommgruss geschrieben: Bienvenida en la isla de fuego.

Nun gab es vieles, was sie in Anspruch nahm: die Koffer auspacken, Lebensmittel für die ersten Tage einkaufen, all die fehlenden kleinen Dinge besorgen, die das Haushalten erleichtern. So waren die Vormittage rasch ausgefüllt, während sie an den langen, sonnenwarmen Nachmittagen einen Liegestuhl vors Haus rückte und im Schatten des Drachenbaumes, den man hier häufig antrifft, schrieb und las und oftmals vor sich hindöste. Sie wusste, dass sie immer einige Tage brauchte, bis sie die Gewichte des Alltags auf dem Kontinent abgeworfen hatte, eines nach dem andern, bis jede Unruhe, jede Zappeligkeit von ihr abfiel und sie in eine wohlige Schlaffheit versank. Es war ein Zustand, den sie ersehnte; hatte er sich aber eingestellt, musste sie sich erst wieder an ihn gewöhnen, an dieses faule, satte Dasein. An Schreiben war dann gar nicht mehr zu denken. Meist verschlief sie manche Stunde draussen im Schatten, umkost von den Winden, die am Nachmittag von den Feuerbergen her ins Tal wehten, und ihre Haut nahm dabei einen warmen Schimmer an.

Einmal erwachte sie, es war der Eigentümer, der klingelte. Schlaftrunken öffnete sie. Er habe eine Botschaft für sie, sagte er, ihr Gatte werde früher, bereits morgen, hier eintreffen, eben habe er den Anruf erhalten.

Und Felice kam, und sie umarmten sich, und sie roch den Duft seiner Haut begierig wie ein kleines Tier. Irgendwie ahnte sie, dass sich etwas wieder in die Ordnung einfügte, etwas, was vielleicht eine Spur daneben geraten war, aber dies alles hatte kaum einen Namen, kannte kaum Begriffe und Gründe, war nur eine Ahnung, die sie anflog. Gut, dass du Felice heisst, sagte sie zu ihrem Mann, so weiss ich, was ich an dir besitze.

Felice lachte, es war sein übermütiges Lachen, das so vieles bewirkte, was Worte niemals ausgerichtet hätten. Über vieles trug es hinweg, tilgte, was als Schatten hereinfallen mochte.

Übrigens heissen alle Katzen auf den französischen Futterbüchsen Félix, sagte sie zu ihm.

Das hat mir gerade noch zu meinem Glück gefehlt, knurrte Felice, ich werde Einsprache bei den Produzenten erheben.

Dass ich es nicht vergesse: Du solltest unbedingt einige dieser Félix-Büchsen im Supermercado, drunten im Dorf, besorgen, erinnerte sie ihn.

Aber warum denn, ich sehe keine Katze weit und breit.

Jetzt gerade nicht, aber warte bis zum Abend, wenn die Wärme nachlässt. Dann kriechen sie aus ihren Schlupfwinkeln hervor.

Du sprichst bereits im Plural?

Caro Felice, es haben sich vier Stammgäste bei mir gemeldet: zwei schwarzweisse, eine graue und eine vierfarbene.

Dass man auch nirgendwo hinreisen kann, ohne dass sich Katzen in deinem Hofstaat einfinden, Donna mia.

In erstaunlichem Tempo packte Felice seinen Koffer aus, verstaute alles und beschloss, den Strand aufzusuchen. Sie liess ihn allein ziehen, denn der Küstenwind wehte in diesen Apriltagen ziemlich stark, so dass man kaum in einem Buch zu blättern vermochte. Felice hingegen liebte die Elemente pur, wie er sagte: Stürme, Sonne, Wasser, Erde. Er lag auf seiner Strohmatte für Stunden, ungeachtet aller Ozonkrisen und Melanomwarnungen, die nicht für ihn, sondern nur für den kleinen Rest der Menschheit zu gelten schienen, aber er erholte sich dabei prächtig, legte Farbe zu wie ein Sarazenenfürst aus dem Morgenland, während das Arbeitstier aus ihm herausschlüpfte und sich in einen Hinterhalt verzog, darauf lauernd, dass die zwei Wochen Urlaub zu Ende gingen.

Felice war tatsächlich mehr als ein arbeitsamer

Mensch, er war pflicht- und verantwortungsbewusst, umsichtig und perfekt, dass einem bange werden konnte. Sie konnte reden und reden, anreden gegen die Aktenberge und Klageschriften, gegen Botschaften und Verordnungen, er liess sich nicht beirren, verwies auf Termine und Sitzungen, sprach von Küstenfunk und Elektrizität, seufzte noch etwas von GATT und versank wieder hinter dem Notebook, seinem steten Begleiter.

Einmal sprach sie gar «vom Verlust der erotischen Kultur», wenn er den Stress nicht abzubauen vermöge. Da blickte er sie mit grossen Augen an. Ja, ja, sie meine es ernst, sagte sie fast begütigend.

Sie erwog, ob sie ihn, den Arbeitsbesessenen, unter die Kamele einreihen wolle, entschloss sich dann aber für die Walrosse, und zwar für das atlantische Walross unter der Bezeichnung Odobenus rosmarus, das viereinhalb Meter lang und bis zu tausend Kilogramm schwer werden kann. Auf der Abbildung in ihrem Lexikon sass dieses Ungetüm ungerührt auf Felsplatten vor einer Küste, zeigte seine hauerartig gebildeten Eckzähne, war durch nichts zu bewegen (zumindest schien es so), machte aber ansonsten einen gutmütigen Eindruck. Es fresse vorwiegend Krebstiere und Muscheln, und vielseitig sei seine Verwendbarkeit, hiess es im entsprechenden Abschnitt; es wurde auf Tran, Haut, Fleisch und Zähne der Odobeniden verwiesen. Dass diese allerdings, der Familie der Robben zugehörig, in höchstem Masse bedroht seien, erwähnte das Nachschlagewerk mit keinem Wort. Ihr armes Walross, ihr gutes Walross, seufzte sie, und auch die Kinder machten sich den Spitznamen zu eigen und verwendeten ihn in einer Mischung von Spott und Zärtlichkeit.

Der nächste Tag, ein Sonntag, versprach vorerst eine heitere Wetterlage, aber dann zogen über dem

Meer Wolken auf, gigantische Berge und Tiere, die majestätisch voranwallten. Was meinst du zu einer Inselrundfahrt? schlug sie Felice vor und nannte ihm auch gleich eine ungefähre Route: an den Feuerbergen vorbei nach Norden, vielleicht mit einem Abstecher zur Einsiedelei, und weiter über den Pass hinunter in die Palmenstadt. Felice war einverstanden, trauerte nur etwas einem verlorenen Strandtag nach.

Sie waren wenige Kilometer gefahren, als der erste Tropfen auf die Windschutzscheibe schlug. Der Hauseigentümer hat mir erst gestern erzählt, dass es auf der Insel seit Monaten nicht mehr geregnet hat, sagte sie. Und tatsächlich entluden sich die Wolken nicht nur einiger Tropfen, sondern eines wahrhaftigen Inselregens. Die trockene Erde schien das Wasser förmlich aufzusaugen, fast meinte man das Wohlbehagen zu spüren, das sich in den verkrusteten Schichten ausbreitete. Die Feuerberge, ihre wilden Kerle, gebärdeten sich abweisender als je, hüllten sich in Schleier von Dampf und spuckten den letzten Touristen aus. Allein wollten sie sein.

Die Strasse stieg nun immer höher, wand sich in Serpentinen, und schroff fielen die Hänge in die Täler hinunter. Unten zog sich der Saum der Küstenlinie dahin, gischtumbrandet, während hier oben die Stürme brausten und mutwillig am Gefährt zu zerren schienen, in dem sie zusammen mit Felice sass. Dieser quietschte beinahe vor Wonne. Ausgesetzt den Elementen – das schien ihm zu behagen, während sie einige Male beklommen in die Tiefen hinunterblickte, in diesen brodelnden Topf, in dem die Berg- und Inselgeister tobten und einander grimmige Schlachten lieferten. Gerade noch rechtzeitig erblickte sie die Abzweigung zur Einsiedelei. Eine Fahrt von wenigen Kilometern, aber wie mühsam bei diesem prasselnden Regen – auch nicht ungefährlich, wie sie schätzte. Endlich war die Anhöhe erreicht. Siebenhundert Meter über Meer, zeigte eine Tafel an, sei die Einsiedelei, Ermita de las Nieves, gelegen. Die weissgetünchte Kapelle beherrschte den Platz, umfriedet von einer Mauer. Hinter dem Eingangstor lag ein Garten mit Palmen, Hibiskus und Rhododendren. Aber auch über ihn fegten jetzt die Stürme, und an ein Verlassen des Wagens war überhaupt nicht zu denken. So nahm sie den Reiseführer aus der Tasche, er sollte ersetzen, was sie jetzt nicht anschauen konnte. Die Ermita de las Nieves sei der «Jungfrau zum Schnee» geweiht, las sie; die Bevölkerung der Insel glaube, sie spende Regen, sofern man sie darum bitte. Früher habe alle vier Jahre eine sehr beliebte Wallfahrt stattgefunden, an der Gläubige aus allen Teilen der Insel teilgenommen hätten, um der Madonna für die Regenfälle zu danken; heute sei die ehemalige Bedeutung der Virgen de las Nieves in Vergessenheit geraten (was nicht stimmen konnte, denn draussen regnete es unaufhörlich weiter, so dass man annehmen durfte, mindestens die Hälfte der Inselbewohner habe die Madonna um Regen angefleht).

Auch sei die Ermita de las Nieves einer der stillsten und beschaulichsten Orte der Insel, las sie weiter. Früher habe jeweils ein Einsiedler Kapelle und Anwesen betreut, und einer von ihnen habe wehmütige Gedichte – Cantos – geschrieben, worin er die Einsamkeit, den Nebel und den Schatten beklagte, die ihn hier oben, auf dieser Höhe, belagert hätten. Sie musste unversehens an den Arktisfahrer denken. Das wäre ein Ort für ihn: abseits von allen Anfechtungen aus der Höllengasse, er selbst unauffindbar. Schluss jetzt, rief Felice, wir fahren weiter, du wolltest doch nach der Palmenstadt fahren, nicht wahr? In Serpentinen schlängelte sich die Autoroute hinunter, und auf der Hauptstrasse fuhren sie in jenes Gebiet, das sich Los Valles nennt. Mehrere Täler erstrecken sich hier wie die Finger einer Hand nach verschiedenen Richtungen, und einem von diesen folgten sie, entlang den Terrassenfeldern, die sich weit die Hänge hinaufzogen. Einige davon wurden landwirtschaftlich genutzt, indem man Rebstöcke angepflanzt hatte, andere lagen brach, überwuchert nur von niedrigem Gebüsch, aus dem die hohen Blütenstände der Agaven herausragten. Weit vorn aber tauchten Palmen aus dem Regendunst, und etliche weisse Häuser schoben sich heran. Das ist die Palmenstadt, rief Felice, sieht aus wie eine nordafrikanische Oase, und wir sind wohl die Verdurstenden.

Immer mehr Palmen rückten jetzt ins Blickfeld, denn sie fuhren durch ‹das Tal der tausend Palmen›. Ihr gefiel jene Legende, die davon berichtet, dass jedesmal, wenn in der Palmenstadt ein Mädchen geboren wurde, eine neue Palme heranwuchs. So hatte sich langsam ein Palmenhain um die Stadt geschlossen, ein Schutzwall. Dieser sei indessen durch Piraten zerstört worden, die viele der Palmen niedergebrannt hatten. Keine Idylle, deine Insel, spottete Felice, weder damals noch heute. Einst Piraten, Dürreperioden und Vulkanausbrüche, heute Abfallprobleme, Wasserknappheit, stetig wachsendes Verkehrsaufkommen und eine hohe Arbeitslosigkeit. Zwanzig Prozent, meine Liebe. Ich muss deine Insel gründlich entzaubern.

Sie widersprach Felice keineswegs. Denn nur zu gut wusste sie, wie verschieden man von derselben Insel sprechen konnte. Einmal war sie ein geradezu mythisches Eiland, ein andermal ein Touristenzentrum wie so viele Destinationen in den Urlaubskatalogen. Alles konnte man so oder auch ganz anders erzählen, man konnte von einem Menschen sagen:

Er ist beruflich äusserst erfolgreich, aber im Privaten zeichnen sich Probleme ab – das hätte dann zum Beispiel für den Arktisfahrer gegolten, doch die innere und die ganz andere Wahrheit hätte es bei weitem nicht getroffen. Man konnte sich andrerseits von dieser, gerade von dieser inneren Wahrheit ergreifen und forttragen lassen, und dann sah alles anders aus: glänzender, schillernder vielleicht, aber auch verwikkelter und leidverdächtiger.

Im Zentrum der Stadt öffnete sich vor ihnen ein langgestreckter Platz, auf beiden Seiten von Palmen gesäumt. Dahinter versteckten sich Häuser mit aufwendig geschnitzten Holzbalkonen, auch ein Restaurant lockte zum Verweilen. «Papa Lopez» hiess es und empfahl gebratenes Wildkaninchen mit Kräutern und Knoblauch, auch einen marinierten Ziegenbraten, als Entrée aber eine Gemüsesuppe mit frischer Brunnenkresse. Klingt nicht übel, meinte Felice. Der Kellner ging durch den Innenhof voran, wies sie zu einem Tisch im kleinen Speiselokal. Da setzten sie sich, warteten, während draussen der Regen immer mehr an Stärke verlor und zuletzt nur noch leise aufs Pflaster fiel. Das Essen schmeckte ausgezeichnet, war sättigend und bekömmlich, und die Gelassenheit legte sich über sie und Felice.

War dies nun der Hauch des Glücks, der sie streifte? Hätte man aber das Gefühl des fraglosen Einverständnisses beschreiben, hätte man die Ingredienzien des Glücks säuberlich auseinanderhalten können? War es die Gunst der Stunde, die ein schmackhaftes Essen, eine freundliche Ambiance bescherte, dazu jetzt gerade in diesem Moment einen Musiker, der die Timple ergriff, jenes für die Feuerinsel typische Saiteninstrument, das aussah wie eine kleine Gitarre, von den Einheimischen wegen seiner Form liebevoll «el camellito» – Kamelchen – genannt? Der Mann griff in die Saiten, zögernd zuerst, holte einen elegischen Akkord hervor, danach begann er die Saiten zu zupfen, und hohe, fast übermütig scheppernde Töne hüpften daher, als ob sich ein ganzes Vogelorchester zum Musizieren entschlossen hätte. Lust war darin, ungebändigte Lust, Freude am Dasein, und doch darunter ein wehmütiger Grund. Fast versank sie in Felices Augenpaar, das sich ihr jetzt zuwandte.

Auch war die Sonne wieder durchgebrochen, und sie beschlossen, weiterzufahren, an die Küste im Nordosten der Insel. Sie verliessen die Palmenstadt, fuhren noch an einigen ummauerten Gärten vorbei, hinter denen schmucke Häuser lagen. In einem von ihnen musste jener Architekt und Landschaftsschützer zuletzt gelebt haben, welcher im Ausland zwar gefeiert, aber auf der eigenen Insel von seinen Gegnern heftig bekämpft worden war. Es hiess, er sei durch einen Autounfall ums Leben gekommen, Anfang der siebziger Jahre, aber sie hegte den Verdacht, dass dieser sogenannte Autounfall von seinen Feinden inszeniert wurde, um den unbequemen Zeitgenossen zu beseitigen, der sich so vehement den Segnungen des Tourismus entgegenstellte. Hast du eine Ahnung, fragte sie Felice, in welchem dieser Häuser er gelebt haben könnte? Hast du vielleicht eine Tafel, einen Wegweiser gesehen? Felice verneinte.

Die Strasse zog sich nun zwischen riesigen Lavafeldern durch, dem ‹mal país›, wie die Einheimischen sagten. Schollen mit tückischen Spitzen bedeckten das Terrain, weglos und öde starrte es ihnen entgegen. Zehn Meter tief sei das Lockermaterial der Lapilli, Schlacken und Aschen, welches die Vulkane über die Feuerinsel gespuckt hätten, damals, als sie wüteten und tobten. Sie las Felice aus dem Reiseführer vor, während sie auf der holprigen Strasse langsam der Küste entgegenwackelten. Noch immer schien sie diese zornige, wütende Erde beidseits zu umklammern, aber näher und näher rückte das Meer heran.

Auch entlang der Küste türmten sich die Lavaschollen, aber dazwischen gab es beinahe liebliche Plätze, helle Sandflecken, fast weiss, die der Wind in die Vertiefungen hineingeblasen hatte. So waren Buchten entstanden, in denen sich das Wasser des Atlantiks sammelte und rasch erwärmte, weil sein Stand niedrig war. Felice parkierte den Wagen beim Charco de la Laja, der grössten dieser Buchten, und schnell eilte sie hinunter zum kleinen See, in dem sich vor allem Kinder tummelten. Laura, Patricia, rief immer wieder eine weibliche Stimme, und zwei Mädchen schienen den Ruf zwar zu hören, ihnen galt er wohl, aber selbstvergessen spielten sie weiter mit ihren Eimern und Kannen, in die sie das Wasser schöpften. Es reichte ihr gerade bis zu den Knien, und man hätte weit hinauswandern müssen, um jene Tiefe zu erreichen, die das Schwimmen ermöglicht. Sie krempelte die Jeans hoch und begann, durch den See zu wandern, auf diesem weissen Sand, der den Füssen schmeichelte. Das Wasser kräuselte sich, zeigte zarte Linien und winzige Trichter, und die Sonne verströmte bereits wieder Wärme und Glanz. Laura, Patricia, rief die Stimme wieder, aber die Mädchen kreischten vor Wonne und begannen jetzt, einander ungehemmt anzuspritzen. Terminar, schrie die Stimme, doch sie bewirkte das Gegenteil, die Mädchen spritzten nur noch lustvoller drauflos. Patricia, Laura, terminar! No, no, schrien die Mädchen zurück.

In einiger Entfernung sass eine Gesellschaft von Onkeln, Tanten, Grossmüttern, Vätern und Mamas auf den Steinen und kommentierte lautstark das Geschehen. Man solle die Mädchen spielen lassen, meinte der eine, die würden von selbst das tolle Treiben beenden. No, sagte eine ältere Frau, sie sollen der Mama gehorchen. Otros tiempos, rief ein dritter, andere Zeiten, die Jugend hat ihre eigene Meinung. In diesem Moment tauchte Felice mit der Kamera auf und packte sie, die Gesellschaft der Verwandten, wie auch Laura und Patricia in ein Bild, das ihr später, wenn sie es betrachtete, immer in der Seele wohltat. Es war ein Sonntagnachmittag auf ihrer Feuerinsel, würde sie den Freunden sagen, ein ganz gewöhnlicher Nachmittag, kein besonderer, und dennoch sei sie glücklich gewesen, einfach glücklich, nichts weiter.

Es könnte indessen sein, dass es ein solch fragloser Nachmittag war, an dem sie den Arktisfahrer vergass. Als habe er sich aus ihrem Bewusstsein fortgestohlen, ohne Laut. Die Gewichte, die er ihr unabsichtlich angehängt, hatte er wohl mit sich fortgetragen. Denn ihr sei auf einmal wieder so leicht zumute gewesen. Erst hinterher habe sich ihr Wohlgefühl eingetrübt, denn fast sei ihr das Glück, das sie verspürte, als ein Unrecht erschienen – ihm gegenüber zum Beispiel und allen anderen Unglücklichen –, denn es hiesse doch: Einer trage des andern Last, und da habe sie nun ohne Gewicht auf der Feuerinsel gestanden.

Am letzten Abend ihres Aufenthalts, einem Samstagabend, fuhren sie noch einmal zur Grünen Lagune, ihrem Lieblingsplatz. Hinter dem Kiesstrand lag der See, und auf der Landseite erhob sich die fast senkrechte Wand des Vulkankraters, aufgebaut aus einem lockeren Tuffgestein, dessen Schichten in verschiedenen Ockertönen schimmerten und besonders abends eine intensive Färbung annahmen. Entstanden war dieses Ungetüm im Eiszeitalter durch einen untermeerischen Vulkanausbruch, der vor der Küste stattgefunden hatte, lange bevor es zu den Eruptionen in den Feuerbergen kam. Dieser Vulkankrater hatte übrigens einen Riesenbrocken ausgespuckt, der nun nahe der Küste im Meer lag, ein gigantisches Kind von Vater Krater. Die atlantische Brandung donnerte heran, brach sich an diesem Klotz, und die Gischt schäumte hoch auf. Es war ein Schauspiel, das sie immer wieder hingebungsvoll betrachteten, Felice und sie. Auch konnten sie sich an den Farben dieser Urlandschaft nicht sattsehen: schwarz der Küstensand, dunkelblau die Meereswogen, rot der Krater und grün die Lagune. Wie immer hatte Felice einen Behälter mitgenommen, um die winzigen Olivinkristalle darin zu verwahren. Mit einer seltenen Hingabe kauerte er sich in den Küstensand, strich mit der flachen Hand darüber, immer wieder, bis die zartgrünen Steinchen, wenig grösser als Sandkörner, erschienen. Die Mineralien galten nicht als Kostbarkeiten, aber Felice sammelte sie mit stummer Besessenheit, zwei Stunden und länger konnte er in fast derselben Stellung hocken bleiben, rückte nur ab und zu ein, zwei Meter vor, um wie ein Magier immer wieder mit der Hand über den schimmernden Grund zu streichen. Allmählich bedeckte sich der Boden seines Behälters mit den Winzlingen, und stolz würde er ihr abends spät, wenn die Dunkelheit seinem Unternehmen ein Ende gesetzt hätte, die Sammlung zeigen, die frei von Zwecken war, was ihn in hohem Masse zu befriedigen schien.

Sie wiederum setzte sich auf einen der vielen Lavabrocken, welche Wind und Wasser im Lauf der Jahrhunderte manchmal so geformt hatten, dass daraus Sessel und Hocker entstanden waren. Schuhe und Socken zog sie aus, grub die Füsse in den Sand und liess das Wasser darübergleiten. Das rollte und rollte, sprang in die Höhe, überschlug sich und glitt gemächlich heran, bis es ihre Füsse erreichte, sie koste und sich dann wieder zurückzog. Den Wellen gab sie allen Missmut mit, der sich in ihr angestaut hatte. Nehmt diesen Ballast, sagte sie zu ihnen, tragt ihn weit fort von mir, übers Meer. Ich will meine Säcke leeren, wie die Juden Osteuropas dies einst am Neujahrstag getan hatten, wenn sie an den Flüssen ihrer Städte standen und allen Kummer ins Wasser schütteten, indem sie Taschen und Säcke leerten.

Es fragt sich nur, ob Lasten, wie sie der Arktisfahrer mit sich durchs Leben trug, je aus Taschen und Säkken gekollert sind. Ob sie sich nicht eher in die Kleider einnisten, ja von der Gestalt derart Besitz ergreifen, dass sie sich in sie einfressen, mit Hunderten von Zähnen und Krallen.

Ein kühler Wind kam auf, und sie beschloss, von ihrem archaischen Sessel herunterzusteigen und in Socken und Schuhe zu schlüpfen. Gerade als sie sich nach den Schuhen bückte, fiel ihr Blick rückwärts auf die rote Kraterwand, und ein Schreck durchzuckte sie. Das Liebespaar! Es stand dort, wie sie es dem Arktisfahrer beschrieben hatte: ein helles Menschenpaar vor dem drohend aufsteigenden Hintergrund, eine helle Jacke, ein weisses Hemd, und Mann und Frau ineinander verschlungen, als ob sie sich nie mehr voneinander lösen wollten. Fast glaubte sie, die Schreie in ihrer Seele zu hören, aber es war unmöglich, sie bildete es sich ein, viel zu stark lärmten die heranbrandenden Wogen. Warum aber nur dieses Liebespaar, warum schon wieder? Warum hatte es hier seinen Auftritt, in dieser abendlichen Abgeschiedenheit der Grünen Lagune? War es eine verbotene, eine unmögliche, eine frevlerische Liebe, die sich vor den Augen der Menschen verbergen musste?

Der Sturm brauste über ihre Köpfe hinweg, das Haar der Frau, langes Haar, wie Berenikes Haar, wehte empor.

Felice aber hatte, versunken in seine Suche nach den Olivinen, den Sonnenuntergang verpasst. Jetzt erhob er sich, ächzend beinahe, nachdem er so lange in seiner Kauerstellung verharrt hatte. Ich seh sie nicht mehr, die Olivine, rief er, ich sehe nur noch schwarzen Sand. Kein Wunder, rief sie zurück, es ist auch schon neun Uhr abends, die Sonne hat sich davongemacht, und schau, die ersten Sterne sind auch schon erschienen. Es müssten mindestens drei Sterne aufleuchten, hatte ihr die Tochter erklärt, dann sei für die Juden der Sabbat zu Ende. Sie begann zu zählen, aber der Sabbat dieses Samstags musste tatsächlich schon vorüber sein, denn nun blinkten immer mehr Sterne auf. Den Grossen Wagen fand sie leicht, seine sieben Sterne hielten die Lebenskraft des Menschen zusammen, hatte sie einmal gelesen. Aber man müsse diese sieben Sterne in der rechten Weise betrachten. Doch was hiess das? Ohne Wunsch vielleicht, einzig in ihren Anblick versunken? Mit den anderen Sternbildern hatte sie Mühe. Felice holte, während sie auf dem Strandweg die Grüne Lagune verliessen, zu Erklärungen aus. Beschrieb ihr, indem er Abstände und Winkel nannte, wo die Venus ruhte, wo der Kleine Bär tappte, wo Orion jagte und dass mit blossem Auge der Orionnebel erkennbar sei. Halb hörte sie zu, halb sann sie den schönen Namen nach: Kassiopeia, Andromeda, Haar der Berenike. Dass es Jagdhunde am Himmel gab, gehetzte Wesen in diesem flimmernden Universum. Jetzt siehst du auch den Polarstern, rief Felice, am Schwanzende des Kleinen Bären. Er sprach von den Lichtjahren der Entfernung, dass Zeit und Raum zu ungewohnten Grössen wurden, zu Ahnungen der Unendlichkeit, unfasslich für die menschliche Vorstellungskraft, allein in Zahlen annähernd zu begreifen. Und sie dachte: Wenn schon Menschen, wie der Arktisfahrer etwa, in so unbegreiflicher Entfernung leben konnten, in einer Ferne, die natürlich eine seelische zu nennen war, in welch schrecklicher Entfernung glänzten erst diese Sterne am Himmel.

Sie fasste Felices Arm. Noch immer schien die Sonne des Tages in der warmen Haut zu schlummern. Du, wir müssen noch packen, flüsterte er, als ob er mit einem lauten Satz die Ordnung der Sterne hätte stören können, morgen reisen wir ab.

Sie war schön, unsere Insel, nicht wahr? versicherte sie sich bei Felice.

Und still und wild, Donna mia, gab er zurück. Sie umarmten sich leise lachend, als ob sie das Glück festhalten wollten. Es ruhte in Felices Haut, die noch für eine Weile nach Sonne roch.

III

Das Gebirge

Als sie um sieben Uhr das Haus verliessen, inszenierte die Insel noch einmal das hinreissendste Morgenwetter. Die Sonne zog ihre Strasse über das Meer, und die Feuerberge säumten sich rot. Hilf mir beim Einpacken in den Kofferraum, rief Felice, und beinahe war sie froh über den nüchternen Appell.

Alles weitere erledigte sich nun mit der zähen Langsamkeit der Reisetage. Sie, die keineswegs zu jenen gehörte, welche ungefragt Dinge über sich ergehen lassen, wie geduldige Kamele in der Wüste, musste es nun auch erdulden wie alle anderen: das Warten, das Schlangestehen, das erneute Warten und schliesslich das beengte Sitzen im Charterflugzeug. Als sie aus dem Fenster noch einmal herunterblickte – die Maschine hatte schon vor Minuten abgehoben –, sah sie das Meer, gleissend in der Sonne, vom Wind gefältelt, während die Berge wie zahme Bukkel, Kegel und Klötze erschienen, als ob kein Feuer in ihnen wüte.

Sie lehnte sich zurück, schloss die Augen. Halb war sie noch hier, einige tausend Meter über dem Archipel, zu der die Feuerinsel gehörte, halb flogen die Gedanken schon voraus, heimwärts, dem Alltag entgegen. Sie dachte an Briefe, Abmachungen, Aufträge, die fällig wurden oder sie inzwischen per Post erreicht haben mochten.

Der Postberg auf ihrem Schreibtisch war anziehend und abstossend zugleich. Wie ein Fischer warf sie die Angel aus, zog eine Beute, die ihre Neugier besonders stachelte, an Land, öffnete in fliegender Hast, regte sich natürlich schon wieder auf oder freute sich derart, dass ihr gleich das Blut in den Kopf schoss. Anderes schob sie weg, legte es zur untersten Schicht des Berges, wo das Urgestein lagerte, trug jüngere Sedimente ab, überflog die Absender, verwarf oder wählte aus. Da, ein Brief aus der Stadt am Fluss, ein Brief des Arktisfahrers. Er habe einen Klinikaufenthalt hinter sich, eine medizinische Abklärung. Es liege nichts Malignes vor. Noch einmal sei er davongekommen. In knappen Sätzen schrieb er ferner, dass sein Projekt «Unter den Kranichen» dem Abschluss entgegengehe. Er und seine Briefpartnerin, sie hätten doch noch zu einem Finale gefunden.

Das war es, diese Entfernung. Läge die Stadt am Fluss näher, nicht in diesem verkehrstechnischen Abseits, dazu ohne eigenen Flughafen, so würde sie leicht einen Besuch machen können, geschwind die Klinik aufsuchen, wo er lag. Sie schrieb sofort zurück, wünschte ihm gute Genesung, erzählte ihm einiges von «ihren» wilden Kerlen, den Feuerbergen, sprach auch von ihren Arbeitsplänen.

Sie sind eine Wucht, antwortete er im nächsten Brief, Ihre Kraft möchte ich noch haben. Ich brauche sie allerdings nicht mehr. Bitte, passen Sie ein bisschen auf sich auf, übernehmen Sie sich nicht.

Na ja, dachte sie, er hat nicht unrecht, sie aus der Ferne zu ermahnen. Aber manchmal konnte sie einfach nicht anders, die Pferde galoppierten ihr davon, warfen sich jauchzend in die Luft, wieherten unbändig.

So glitt der Frühling weg – April, Mai, Juni –, und unversehens war es Sommer. Heiss und ungebärdig zog er ins Land, schickte den Regen in die Verbannung und verschrieb der Sonne unausgesetzten Dienst. Die brannte und knallte auf die Erde, trocknete sie aus, dass Risse entstanden. Die Menschen aber wurden schlaff, und auch sie selbst fiel bei jedem längeren Telefongespräch, bei der Abfertigung von beruflicher Korrespondenz in Schweissausbrüche. Jetzt fügte sie nachmittags eine Siesta ein, und nach und nach blieben auch die Anrufe aus. Lähmende Stille legte sich auf das Land. Ein Brief kam noch aus der Stadt am Fluss: Ich bin froh, nicht wegfahren zu müssen. Ich habe kaum noch Reisegelüste oder aber solche, die sich nicht mehr erfüllen lassen: Toledo, Odessa, St. Petersburg. Ich verbringe den grossen Sommer lesend und wandernd, ich lese und wandere geradezu hemmungslos, vom Gebirge komme ich nicht los. Am Schluss fügte er noch an: Ihr Gesicht verschwimmt allmählich vor meinen Augen. Bald sehe ich es nicht mehr. Nur an Ihr Haar erinnere ich mich – Berenikes Haar. Bleiben Sie glücklich.

Etwas stieg ihr in den Hals. Lange betrachtete sie den Brief, dessen Schriftzüge kleiner und kleiner zu werden schienen, als ob sich der Schreiber zum Verschwinden bringen wolle. Eigentlich konnte man nur noch einzelne Wörter wie «wandern» oder «Gebirge» auf Anhieb entziffern.

Dann kein Brief mehr.

Sie überlegte: Wäre ihm etwas zugestossen, so hätte sie kein Mensch benachrichtigen können. Denn keiner in der Stadt am Fluss wusste von ihren Kontakten, und ihre Briefe hatte er bestimmt wohl verwahrt, in einem Safe vielleicht, in einem Tresor der Klinik, zu dem nur er den Schlüssel besass. Wie also sollte es ihr jemand mitteilen können, wenn er verunglückt war? Denn es wäre ja möglich, dass er eine seiner Wanderungen ins Gebirge unternommen hätte, vorzugsweise in den Karst; er liebte die Formationen dieser Welt mit ihren Schründen, Buckeln, Höhlen. Hatte sich vielleicht übernommen dabei, zu Beginn nur eine Tachykardie gespürt, Atemnot, später Übelkeit. Als Herzspezialist hatte er die Zeichen richtig zu deuten gewusst, war aber weitergewandert, wie von einem Sog gezogen. Wandern, ewiges Wandern. Dabei waren längst Wolken aufgezogen, der Wind, der ihn vorher immer begleitet hatte, setzte aus. Die ersten Tropfen fielen, der Boden, von der langen sommerlichen Hitze ausgedörrt, widersetzte sich dem Regen vorerst noch, aber als dieser zu einer prasselnden Stärke anwuchs, fügte sich der Boden, wurde weich und nachgiebig. Wieder stieg die Übelkeit im Wanderer hoch, der Schweiss brach ihm aus.

Alle werden wir einmal in die arktische Nacht entlassen, zusammen mit unseren Jagdhunden, mochte er sich noch denken, in eine andere Zeit, in einen anderen Raum, und da glitt er auf den glitschigen Steinen aus, stürzte, stürzte, stürzte, wie man manchmal in den Träumen stürzt, da kein Boden den Stürzenden auffängt. Und während er noch stürzt, jagt sein Leben an ihm vorbei, vom Ende zum Anfang spult es sich ab: die Jahre der wachsenden Altersflecken, durch nichts zu tilgen, die Emeritierung mit der Magnifizenz in der ersten Reihe, die vielen Jahre an der Klinik, Ordinationen, Operationen, Notfälle, Konsilien, die Patienten und Patientinnen, immer wieder eine schöne elegante Frau unter ihnen, während die Gattin ihren Verrücktheiten frönt, krankheitsbedingt, der Ausbruch ihrer Krankheit bis hin zu den ersten guten Jahren mit ihr, unverschattet, die Geburt der Kinder, der er nicht beigewohnt hat, weil es eine unästhetische Angelegenheit ist, welche die Frauen verunstaltet, warum nur hatte es der da oben nicht anders eingerichtet, die Hochzeit im kleinen Kreis, ein bisschen contre cœur, na ja, der Aufbau der «Karriere», so nannte man doch diese Anstrengung, aber viel einschneidender dieser irre Liebesschmerz wegen Ala, die nach dem fernen Turin gezogen war, der Studienabschluss, die Monate im Lungensanatorium, der Krieg im Kaukasus, die Jahre bei den Patres im Gymnasium, und war da nicht die Hofdame Eboli, mit rabenschwarzem Haar, nun aber seine Mutter mit dem Aprilgesicht – Sie nimmt ihn auf, da ist er endlich angekommen, in ihren Armen liegt er wieder, ihre schönen Hände erblickt er, die sie stets sorgsam pflegt, während er ihr dabei zuschauen darf, und ihre Finger streichen über seinen geschundenen Körper, der gestürzt ist.

Můj milý chlapečku – mein liebstes Kind, flüstert die Mutter, das Aprilgesicht, und sie kost die duftende Haut des Kindes, dessen Mund im Schlaf leicht geöffnet ist. Was hast du nur aus deinem Leben gemacht? Komm zu mir zurück.

Draussen aber schwoll das Wasser immer stärker an, wie eine Musik, in der sich des Lebens Dissonanzen auflösen.

So hätte man ihn nach Tagen in einer der Höhlen des Karstgebirges gefunden. Die Rettungstruppen hätten vermutet, dass der Tote, den sie nicht sofort identifizieren konnten, da er keine Papiere auf sich trug, wegen des starken Gewitterregens ausgeglitten und in eine der zahlreichen und mitunter recht tiefen Höhlen hinuntergestürzt sei. Vielleicht hätte man eine Obduktion angeordnet und dabei die Frakturen und inneren Organverletzungen konstatiert. Spätestens im Gerichtsmedizinischen Institut der Stadt am Fluss hätte man aber den Toten erkannt, weil die beiden amtierenden Ärzte ja zur Schar der Herren Kollegen gehört hätten. Schade um den alten Herrn, hätten sie vielleicht zueinander gesagt, das Obduktionsbesteck gründlich desinfiziert und danach in einem Restaurant der Stadt ein Menu bestellt, vorgängig einen gespritzen Weissen.

Die Abneigung gegenüber Fleisch, welche Medizinstudenten nach der Arbeit im Seziersaal regelmässig packt, hätten sie längst nicht mehr verspürt.

Die zweite Reise

Im Herbst erteilte ihr eine Zeitung den Auftrag, das Archiv in der Stadt am Fluss zu besuchen und darüber zu berichten. Sie bestellte wieder ein Zimmer im selben Hotel wie vor einem knappen Jahr, schrieb dem Arktisfahrer auch sogleich, dass sie im Spätherbst aus beruflichen Gründen einige Tage in seiner Stadt verweile. Darüber freue er sich sehr, antwortete er. Er habe in diesem Sommer viel gearbeitet, an mehreren Projekten gleichzeitig, man müsse immer an diesen zarten Fäden festhalten, sonst entstehe keine Literatur auf dem Papier, nur eine Kopfwelt.

Deshalb also hatte er ihr nicht mehr geschrieben. Er wollte sich von nichts als vom Schreiben in Besitz nehmen lassen. Sie gab ihm in einem neuerlichen Brief den Termin für ihre Begegnung an, abends, neunzehn Uhr, wiederum im Hotel, bat ihn auch, das Rauchen zu unterlassen, weil sie es schlecht ertrage. Sie wisse zwar um seine eventuelle Aufregung, aber trotzdem –

Nicht doch, schrieb er, sie solle gnadenvoll auf einen nikotinsüchtigen Mann hinunterblicken. Er bitte sie innigst, dass sie, der er sehr zugetan sei, nicht so streng reagiere. Ihr Herz solle sich erweichen, und er schicke ihr dafür einen Handkuss, mehr zieme sich wohl nicht. Dann ganz, ganz herzlich seine Unterschrift.

Seine Zeilen erheiterten sie auf eigene Art. Etwas schien ihn verjüngt zu haben. Sie aber packte wieder jene Unruhe, die sie schon einmal besetzt gehalten hatte. Noch immer konnte sie die Gefühle, die sie umtrieben, nicht benennen. Aufgestört fühlte sie sich, und aufgeregt sah sie ihrer Abreise entgegen.

Die Reise verlief ohne Zwischenfall. Aber je mehr sie sich der Stadt näherte, umso mehr vibrierten ihre Nerven. Dünne Fäden schienen es zu sein, angespannt aufs äusserste, und als sie endlich im Bahnhof der Stadt am Fluss eingetroffen war, flog sie auf den Taxifahrer zu, nannte ihm die Adresse des Hotels und merkte, dass sie vor lauter Herzklopfen kaum sprechen konnte.

Eigentlich hätte sie genügend Zeit gehabt, sich im Hotelzimmer noch etwas hinzulegen und auszuruhen. Aber daran war nicht zu denken, die Pferde galoppierten wie verrückt durch den Raum, trabten zum Fenster hinaus, setzten über den Fluss, auf die andere Seite, wo er, der Arktisfahrer, wohnte. Keine Ruhe gaben sie, und sie mochte sie nicht zurückrufen. Hätte sie es denn überhaupt gekonnt, das war die Frage. Am Tisch sass sie und las noch einmal seinen letzten Brief mit der Anrufung der Gnadenvollen, dann eilte sie wieder hinüber ins Badezimmer, blickte in den Spiegel, strich sich die Lippen nach, nicht zu sehr natürlich, zupfte an den Haaren, sie musste den Jupe anziehen, nicht die Hosen, er hatte einmal irgendwo geschrieben, nur kulturlose Frauen trügen Hosen, wobei sie ihm leicht Damen wie George Sand oder Marlene Dietrich hätte entgegenhalten können, die man gewiss nicht als kulturlos gelten lassen konnte, vielleicht war er eben doch das, was man einen Macho nennt, aber was sollte der ganze Disput, wo es doch um Wichtigeres als die Garderobe ging; dennoch war die Garderobe wiederum auch nicht so unerheblich, gerade heute abend nicht, und die kleine Halskette liess sich wegen ihrer zitternden Finger erst beim dritten Anlauf schliessen; nun aber unbedingt nochmals vor den Spiegel, könnte sie doch dieses Bild so stehenlassen, auf dem Haar den Glanz, noch zehn Minuten bis zu jenem Augenblick, er würde pünktlich sein, Pünktlichkeit war ihm wichtig, eine langgeübte Disziplin, unerlässlich wegen der Operationen, die er als Klinikchef hatte vornehmen müssen, noch sechs Minuten, sie öffnete unmerklich die Zimmertür, wer weiss, vielleicht hörte sie bereits seine Stimme beim Empfang, die nach ihr fragte, aber da war Stille, rauschende Stille, rauschend wegen ihres Bluts natürlich, und die Wangen fühlten sich jetzt beinahe heiss an, das konnte heiter werden mit der Gnadenvollen –

Eine Minute vor sieben Uhr öffnete sie nochmals die Zimmertür, schloss sie leise hinter sich zu, drehte den Schlüssel im Schloss, adieu, liebes Zimmer auf der Durchreise, vielleicht wird eine ganz andere zu dir zurückkehren, und die Pferde traben ausser sich durch die Lüfte, was sollte nur aus ihr werden, und die Vernunft, wo war sie geblieben, im Urlaub wohl. Ein süsses Gift hatte in ihr zu wirken begonnen.

Er stand bereits da, kehrte ihr jedoch den Rücken zu. Sie rief ihn leise an, er wandte sich um, sagte «Liebe gnädige Frau» und küsste ihre Hand. Dann nahm er ihr Gesicht in seine beiden Hände, eine unsagbare Zartheit lag in dieser Geste, und sie hätte Raum und Zeit vergessen können. Aber der Kellner holte sie aus dieser kleinen Ewigkeit zurück und fragte, fast ein bisschen mit schelmischem Unterton: «Ein stiller Winkel zum Essen für die Herrschaften gefällig?»

Sie sitzen einander gegenüber, und ihr Blick fällt auf sein Haar, das trotz seines Alters wieder in diesem unglaublich hellen Blond aufleuchtet. Kaum zu fassen ist es, dass er sich die Farbe der jungen Jahre bewahrt hat. Sie flüchtet sich in eines dieser unverbindlichen Komplimente, sagt, sie freue sich darüber, dass er so gut aussehe.

Könnte es nicht sein, dass ich mich einfach über die Ankunft einer gewissen Dame aus dem Ausland freue? Wissen Sie, da taut das Packeis auf.

Er erzählt ihr aber auch von seiner Erleichterung, die ihm die Abgabe der Klinik-Vorsteherschaft gebracht hat. Endlich habe man einen Nachfolger gefunden; das Ministerium hatte seinen Favoriten aus dem eingereichten Dreiervorschlag sofort genehmigt. Nun verfüge er über viel mehr Zeit zum Schreiben, und wenn er mit den Gedichten nicht zurechtkomme, wende er sich der Novelle zu, und wenn es hier nicht klappe, nehme er sich sein Hörspiel vor. Bei dem einen ruhe er sich vom andern aus, und so habe er sich jene Gelassenheit erhalten, die für den Schreibvorgang unerlässlich sei.

Davon sei sie selbst oft weit entfernt, gestand sie, immer müsse sie um Luft und Atem kämpfen, müsse beständig Raum schaffen für das, was ihr wichtig erscheine. Und die Familie wolle sie darüber auch nicht einfach vernachlässigen.

Lassen Sie sich Zeit, sagte er eindringlich und ergriff ihre Hand. Mich hat übrigens die Esztergom-Geschichte, die Sie mir zugesandt haben, gerührt, fügte er, nach einigem Zögern an.

Die Liebesgeschichte? fragte sie.

Ja, die Liebesgeschichte. Sie schreiben, indem Sie viele Auslassungen riskieren. Es wird heute zu viel ausgesprochen statt eingesprochen.

Eingesprochen?

Ja, denken Sie an «einsprechen», jemandem etwas ins Ohr sagen, so dass keiner es hört. Aber die dekorativen Wortketten sollten Sie vermeiden, es gibt für Schreibende nichts Gefährlicheres als Adjektive.

Sollte man demnach so schreiben, als ob es Worte aus lauter Schwarzbrot seien?

Wie meinen Sie das? fragte er belustigt.

Ihre Briefe, an sie muss ich gerade denken, Ihre Briefe kommen mir immer so vor, als ob mir einer ein Stück Schwarzbrot gäbe.

Fehlt nur noch der Wein, ergänzte er, aber den trinken Sie nicht, Sie Asketin.

Dafür legen Sie manchmal eine Spur Ambrosia auf den Schwarzbrotscheiben aus, neckte sie wieder, Nahrung für die Götter.

Na, in diesem Fall doch eher für die Göttin, korrigierte er.

Sie senkte den Blick, sprach davon, dass die Esztergom-Geschichte zur Gattung der unmöglichen Liebesgeschichten gehöre. Es sei eine Story ohne Zukunft, ohne die Möglichkeit einer Realisation; was zähle, sei einzig die Gegenwart. Und deshalb sei sie für die Liebenden immer auch traurig, weil sie, beide noch jung an Jahren, auf eine Zukunft hinzielten.

Vielleicht ist es so, dass nur die unmöglichen Liebesgeschichten vollkommen sind, was meinen Sie?

Sie blieb ihm die Antwort schuldig.

Wann komme ich denn selbst einmal in Ihre Texte hinein? fragte er sie augenzwinkernd.

Sie sind schon mittendrin, gestand sie, nachdem sie leer geschluckt hatte.

Ha, endlich eine Frau, die kreativ auf mich reagiert, lachte er anerkennend, die andern sind entweder dem Wahnsinn verfallen, haben Reissaus genommen oder ihrem Leben ein Ende gesetzt.

Nun übertreib mal nicht, lieber Arktisfahrer, dachte sie. Laut fuhr sie weiter: Sie habe wegen dieses Textes Ängste ausgestanden, beinahe schlaflose Nächte, habe erwogen, ihn nie davon in Kenntnis zu setzen, einfach darauf zu bauen, dass er – in dieser Entfernung von ihr und ihrem Lande lebend – von diesem Text nie erfahre.

Da lachte er, wie sie ihn noch nie hatte lachen

hören, und vor ihren Augen verjüngte er sich – um zehn Jahre, um zwanzig Jahre, um dreissig Jahre. Er fasste ihre Hand: Sie sind viel zu ängstlich. Wenn man schreibt, darf man solche Ängste überhaupt nicht zulassen, darf nicht nach rechts und nach links schauen, muss unbeirrt diesen Weg gehen. Sonst lässt man das Schreiben lieber gleich fahren.

Aber es kommt auch ein Mordversuch vor in meinem Text. Ich lasse Sie als potentiellen Mörder auftreten.

Das ist mir egal, lachte er wieder, in meinem Leben habe ich schon mindestens zwanzig Gedankenmorde ausgeführt, auf einen mehr oder weniger kommt's nun auch nicht mehr an. Welchen Modus haben Sie übrigens für meinen Mordversuch gewählt?

Den Messerstich-Mord, antwortete sie.

Greifen Sie lieber zur Feile, das ist solidere Arbeit.

Er sprach dann noch viel, lebendig, angeregt, zwei-, dreimal entschuldigte er sich für seinen Redefluss, aber sie liess ihn gewähren, obwohl sie sonst die Vielredner eher mied. Einmal dachte sie, dass er vielleicht wie sie selbst aufgeregt sei und sich daher ins Sprechen flüchte, ein andermal dachte sie an seine Lebensführung, die zurückgezogen zu nennen war, weshalb er ihr gegenüber das Bedürfnis spüren mochte, sich mitzuteilen.

Seine Mahlzeit hatte er längst beendet, hatte wieder nur eine Kleinigkeit gegessen, sie dagegen sass noch immer vor ihrem halbvollem Teller. Was ist mit Ihnen, haben Sie keinen Hunger? fragte er. Dass ihr Herz wieder wie verrückt klopfte, dass sie deswegen kaum einen Bissen hinunterbrachte, konnte sie ihm nicht sagen. Sie schob es auf die Restaurantküche, bemerkte, dass die Portion viel zu gross bemessen sei. Schlug ihm jetzt auch vor, noch einen Spaziergang durch die nächtliche Stadt zu machen. Er war einverstanden, nannte es eine gute Idee, zumal nach der langen Bahnfahrt, die sie hinter sich habe, da sei Bewegung ein Segen für die Gelenke und den Kreislauf.

Die Promenade

Eine milde Spätherbstnacht lag über der Stadt, und der warme Fallwind, der oft diese Gegend heimsucht, zog durch die Gassen. Er erklärte ihr die Gebäude, sprach wieder vom Bischof (diesem «Mordskerl»), an dessen Wohnung im dritten Stockwerk sie eben vorüberspazierten. Hier, auf dem Domplatz, hätten den Bischof einmal zwei Obdachlose um Geld gebeten, der Bischof aber habe sie, da er in Eile gewesen, abgewiesen. Die beiden Vagabunden hätten ihn nicht erkannt, hätten grollend bemerkt, so gingen sie eben mit ihrer Bitte zum Bischof, der gleich da drüben wohne, der habe sie noch nie abgewiesen. Dann geht Ihr eben dorthin, brummte der Bischof, während die beiden Kerle zur bischöflichen Wohnung eilten und den Türknopf drückten. Eben hier unter der Tür hätten sich alle drei wieder getroffen, und der Bischof habe gesagt: So kommt um Gottes willen mit mir nach oben. Da hätten ihn die beiden Obdachlosen erkannt.

Übrigens sei die Gesangskunst des Bischofs mässig, er habe kürzlich in seinen Papieren einen Schulbericht zu allen Zöglingen seines Jahrgangs gefunden – der Bischof sei ja sein Klassenkamerad bei den Jesuiten gewesen –, und da stehe keine brillante Gesangsnote für den späteren Würdenträger. Dafür sei er im Zeichnen ein wahrer Kleinmeister, und er übe dieses Métier auch heute noch aus, stelle jeweils Karikaturen des Kurienvolkes her, wenn er im Vatikan weile.

Er solle einmal eine Ausstellung dieser Blätter veranstalten, schlug sie vor.

Eine heikle Angelegenheit, Rom könnte darauf

stocksauer reagieren, zumal heute, da der römisch-katholische Humor unter galoppierender Schwindsucht leide.

Die Kirche der Jesuiten war noch offen. Er zeigte auf die vielen Seitenaltäre, an denen er einst als Zögling der Schule ministriert hatte, im Laufschritt seien sie während der Gottesdienste von einem Altar zum nächsten geeilt, weil alle Herren Geistlichen bedient werden wollten, aber die Zahl der Ministranten nicht ausgereicht habe. Was sich da alles abgespielt habe –

Nicht zu vergessen die Eboli!

Ja, die Eboli. Woher wissen Sie das eigentlich?

Sie haben es mir erzählt, vor fast einem Jahr, ich bin Ihr kleines Gedächtnis.

Halt, little memory, wenn Sie meine Vergangenheit zu sehr ausleuchten, werde ich mich rächen.

«In diesen heil'gen Hallen/ kennt man die Rache nicht . . .» Sarastro hätte an Ihnen keine Freude gehabt, Herr Professor.

Sie traten aus der Kirche, und er wies mit dem Arm nach der linken Strassenseite. Dort drüben stehe die Synagoge, sagte er, es lebten noch ungefähr hundertzwanzig Juden in der Stadt. Einst, vor dem Krieg, sei es fast das Tausendfache gewesen, seine Stadt ein kleines Jerusalem genannt worden . . . Der Rabbiner habe ihn in diesem Frühling zum Sederabend eingeladen. Es sei eine sehr würdevolle Feier gewesen. In der Mitte ein festlich gedeckter Tisch mit zwei Sabbat-Leuchtern sowie ein Weinbecher, der für den Propheten Elias bestimmt sei, den Vorläufer des Messias. Man erwarte, dass Elias am Sederabend erscheine. Dann die Seder-Schüssel mit sieben symbolischen Zutaten, von denen ihm noch das Ei, die Mazzen, das Bitterkraut und der Schafsknochen erinnerlich seien. Der Hausherr habe die Platte hochgehoben und gerufen, das sei das Brot des Elends, das die Väter in Ägypten gegessen hätten. Danach habe der jüngste Sohn des Rabbiners die berühmte Frage gestellt: «Was zeichnet diese Nacht vor allen anderen Nächten aus?» Der Hausherr habe danach mit der langen Schilderung des Exodus, mit Kommentaren versehen, geantwortet, später habe man Festpsalmen gesungen, er immer stumm zwischen den jüdischen Teilnehmern, endlich habe man auch gegessen und getrunken, und dabei sei zusehends eine gelöste Stimmung aufgekommen, und man habe einander «Nächstes Jahr in Jerusalem» zugerufen, auch er habe dabei mitgehalten.

Während er all dies erzählte, ging er mit ihr in der Strassenmitte auf dem Geleise einer Strassenbahn, wie sie plötzlich bemerkte. Könnten wir nicht auf den Gehsteig hinüberwechseln? fragte sie ihn. Wir leben hier gefährlich.

Ach, du meine Güte, Sie ängstliches Gemüt; jede Strassenbahn ist mit einer Klingel ausgerüstet, und wir würden das Klingeln früh genug hören.

Ich dachte nur, einer von uns müsse die Vernunft bewahren, wandte sie ein.

Vernunft, Vernunft, polterte er, lassen Sie sie fahren, lasciate ogni ragione, voi ch'entrate. Frei nach Dante. Ja, diese Stadt, die für ihn oft Himmel und Hölle zugleich sei. Wenn er abends nicht einschlafen könne, nehme er sie sich vor, überlege, wo er diese Stadt zuriegeln müsse, damit keiner mehr eindringen könne. Er beginne dann systematisch im Norden, beim Festungsgürtel, der noch immer einige undichte Stellen aufweise, fahre dann östlich fort zu den Toren aus der Römerzeit, weiter südwärts, da gebe es viel zu tun, da werde er fast nicht fertig mit Zuriegeln, und darüber schlafe er dann ein, überlege sich vielleicht höchstens noch, wen er ausser sich selbst in die Stadt einlassen wolle.

Sie, liebe Gnadenvolle, würde ich durchs Westportal, durch die ungarische Pforte, einlassen.

Verbindlichen Dank, sagte sie.

Manchmal schweife er nachts auch in seine Lieblingsstadt ab, die als eine der wenigen Städte dieser Welt Christen, Juden und Muslime in einer Lebensgemeinschaft vereinigt habe, nach Toledo. Die ganze Innenstadt denke er sich, wenn er nicht einschlafen könne, als ein einziges Armenhospital, und da gäbe es für ihn und einige gleichgesinnte Kollegen, die nicht aufs Geld versessen seien, wiederum so viel zu tun – untersuchen, diagnostizieren, desinfizieren, chirurgisch eingreifen –, dass er auch darüber endlich einschlafe.

Also, abgemacht, morgen um zehn Uhr hole ich Sie im Hotel ab und führe Sie ins Archiv. Es befindet sich auf dem Campus der Universität, wir können zu Fuss dorthin gehen, es sind nicht mehr als fünfzehn Minuten.

Das Notturno

Nachts um zwei erwachte sie. Und in der Dunkelheit sah sie plötzlich alles glasklar vor sich. Sie wusste jetzt den Namen für das Fieber, die Unruhe und das Herzklopfen. Hatte sie es nicht schon immer geahnt, aber es sich nicht eingestanden – vielleicht schon in jenem Moment, als sie seinen ersten Brief erhalten hatte? Was für eine Fügung war das gewesen, eingeschrieben ins Geheimnis des Universums? Das Herz sei, vom Standpunkt des Pathologen aus betrachtet, nichts als ein normaler Muskel, hörte sie den Arktisfahrer sagen. Als Herzspezialist müsse er allerdings die Meinung des Herrn Kollegen insofern korrigieren, als dieser Muskel doch nicht unerheblich für das Weiterleben sei.

Und welche Stürme vermochte dieser Muskel, Myokard genannt, zu entfachen. Es half jetzt nichts mehr, wenn sie sich von diesem Sturm abwandte, einen harmloseren Namen für ihre Regungen erprobte oder den Altersunterschied als Gegengift herbeizitierte. In diesem Ausnahmezustand des Herzens waren Grenzen und Unterschiede aufgehoben. Und den richtigen Zeitpunkt hatte sie längst verpasst. Hatte es ihn überhaupt je gegeben? Genau bedacht, hätte sie jenes Buch, in dem seine Gedichte standen, gar nie öffnen dürfen, denn aus ihm war ihr alles entgegengestürzt: die Einsamkeit, der leise Anruf, der orphische Gesang, welcher die Herzblume bewegt hatte.

Aug in Aug mit diesem Sturm, ihrem Taifun, musste sie jetzt dastehen, sich mit ihrer Person hinstellen und sagen: Ja, so ist es, so und nicht anders. FEUER IST FEUER. Aber im gleichen Moment rasten ihre Gedanken rückwärts, zurück in die felicianischen Zeiten, und sie erschrak. Felice. Beinahe schrie sie den Namen in die Dunkelheit des Hotelzimmers hinein. Du schläfst in deinem Bett, lieber Felice, wälzest dich vielleicht ein, zweimal herum und schnarchst ruhig weiter, denn da ist keine Donna mia, die dich sanft an den Locken zieht, damit diese nächtlichen Konzerte enden. Aber hörst du mich denn nicht, hörst du nicht, dass ich nach dir rufe, weil ich dich nicht verlieren will? Halten solltest du mich, fest in deinen Armen halten.

Denn nichts war mehr wie zuvor nach dieser Verwerfung im Herzgebirge. Verirrt war sie in sich selbst, geteilt in Glück und Angst.

Wie ein Berg wälzte sich der Schrecken heran, legte sich auf ihre Brust, und da packte sie das Schluchzen, wieder dieses Schluchzen der Liebenden von Esztergom, wie einst vor zwanzig Jahren, da sie, die junge Frau, in ihrer Verwirrung keinen Ausweg mehr gewusst hatte, nur den drohenden Abschied und eine verweigerte Zukunft. Der blöde Herzmuskel tobte geradezu. Still, Muskel, sagte sie, ich bin zwanzig Jahre älter geworden und sollte jetzt klüger sein als damals. Wie wär's, wenn wir die Gabe der Unterscheidung einsetzten, du, mein Herz, und ich? Das hiesse also: Hier ist hier, und dort ist dort. Verstanden, Myokard? Wir beide können die Gegenwart nicht in die Zukunft hinübertragen, nur gerade jetzt mit allen Poren leben, aber lass dann endlich einmal dein Klopfen und Toben, sei etwas kooperativ, ja?

Und war Abschied nicht eine Wissenschaft, die sie jetzt, nachts, erlernen musste?

Sie trat ans Erkerfenster, öffnete es vorsichtig. Den Fluss hörte sie in der Ferne rauschen, den Fluss, der gegen Osten hin weiterzog, sich später in einem vielarmigen Delta verzweigte und endlich ins Meer strömte. Wie das wäre, wenn man jetzt die Taschen der Seele leeren, dem Fluss alles mitgeben könnte, was bedrückte, und mit diesen Ballaststoffen zöge er weiter, hinaus aus der nächtlichen Stadt, fort, fort und immer weiter. In seinem Bett würden die Wirbel und Strudel sich glätten, würden nur noch leise vor sich hinmurmeln, ab und zu sich verknäueln, um endlich im Ozean aufzugehen – aufgehoben, aber nicht unverloren.

Das Archiv

Auf dem Campus der Universität erwartete sie bereits der Professor, der das Archiv leitete, ein jüngerer Mann, der sie freundlich willkommen hiess. Durch Scharen von schwatzenden und colatrinkenden Studenten bahnte er einen Weg, öffnete die Tür zum Lift und fuhr mit ihnen ins achte Stockwerk des Gebäudes der geisteswissenschaftlichen Fakultät. In seinem Arbeitszimmer sass sie nun dem Archivdirektor gegenüber, stellte Fragen, notierte eifrig, während der Mann, ihr Arktisfahrer, zwischen ihnen beiden sass. Sie vermied es, ihn anzublicken, denn das hätte zweifellos sofort ihre Konzentration beeinträchtigt. Nur einmal, als die Sonne gar zu heftig ins Zimmer brach, schaute sie zu ihm hinüber, erblickte seine Nase, auf der sich die Altersflecken häuften. Sie ertappte sich dabei, dass sie abwechselnd die glatte Nase des Archivleiters mit der Nase des Arktisfahrers verglich; hin und her jagte ihr diagnostizierender Blick.

Das Telefon schrillte, der Archivleiter nahm ab, sprach zwei, drei Sätze.

Was für ein unbarmherziges Bühnenlicht hielt aber auch dieser Morgen bereit, ein Licht, das alle Illusionen auf ihrem Szenarium zerstörte und unverstellt die Wirklichkeit zeigte: zum Beispiel die Nase eines beinahe siebzigjährigen Mannes. Aber sie durfte dieser Nase nicht ausweichen, vielleicht rief sie gerade diese Nase wieder in die Realität zurück, aus der sie sich fortgestohlen hatte.

Wieder klingelte das Telefon. Der Archivleiter entschuldigte sich kurz.

Plötzlich kam sie sich furchtbar vernünftig vor, schalt sich als eine waschechte Vertreterin ihres Landes, dessen Nüchternheit von den einen gerühmt, von den andern verspottet wurde. Hallo, Vernunft, rief sie, fast scheint es, als ob ich wieder in deinen Hafen eingefahren sei, aber – Was aber! brummte die Vernunft, war auch höchste Zeit für dich, hätte leicht schiefgehen können.

In diesem Moment begann das Herz gewaltig zu schlagen, vergass jegliche Kooperation. Nicht doch, sagte es, was für einen naseweisen Detailrealismus betreibst du da? Was vermag dieses Organ Nase gegenüber dem Gesamteindruck des Arktisfahrers? Es ist nichts als ein Detail, das du getrost vergessen kannst. Hast du nicht selbst einmal geschrieben, man müsse, wenn es um Buchrezensionen gehe, das Geschriebene als Ganzes auffassen; vom Textkörper hast du damals gesprochen, den man in seiner Ausstrahlung, seinem Profil erkennen müsse, es gehe nicht darum, einzelne Pickel herauszuklauben und genüsslich zu präsentieren, und was machst du nun im Fall des Arktisfahrers, da es um einen Menschen geht, und erst noch um einen Menschen, der dir viel –

Sei still, Myokard.

Doch, doch, ich weiss, was ich weiss, und du betrügst mich nie und nimmer.

Wieder meldete sich das Telefon, der Archivleiter seufzte und zuckte die Achseln.

Sie blätterte in ihren Notizen, die bereits eher einem wilden Geflecht als einer brauchbaren Niederschrift glichen. Ob sie sich darin später noch zurecht finden würde, wenn es darum ging, den Artikel zu schreiben? Fast wurde ihr bange bei diesem Gedanken.

Der Archivleiter reichte ihr jetzt den Bericht eines Forschungsprojekts über den Tisch. Es betraf den Briefwechsel jenes Philosophen, der ein «nucleus» des Archivbestands sei, wie sich der Direktor ausdrückte.

Im Kommentar zu einem seiner berühmtesten Werke hatte der Philosoph den Satz geschrieben, der zu Beginn des Projektberichts angeführt wurde und ihr deshalb auch sofort in die Augen stach: «Ich wollte nämlich schreiben, mein Werk bestehe aus zwei Teilen: aus dem, der hier vorliegt, und aus alledem, was ich *nicht* geschrieben habe. Und gerade dieser zweite Teil ist der wichtige . . .»

Natürlich schrillte jetzt wieder das Telefon. Es ist ein Elend, knurrte der Archivleiter.

Wo sind wir steckengeblieben, fragte er, als das Telefonat beendet war. Ach ja, bei unserem Philosophen. Dazu möge sie ihm eine Anmerkung gestatten: Er, der Philosoph, habe sein Werk weder als System noch als Lehre verstanden, sondern als Therapie zur Pflege sprachlicher Redlichkeit.

Unermüdlich sprach nun der freundliche Professor weiter, sprach von Rechtsnachfolgern, internationalen Auktionsgeschäften mit literarischen Nachlässen, auch den Schwierigkeiten im Umgang mit den Angehörigen einzelner Autoren, den Demarchen im Ministerium schliesslich, immer und immer wieder. Chronischer Raum- und Personalmangel, seufzte er, absolut chronisch, liebe Frau Kollegin. Und unentwegt läutete das Telefon, klopfte es an der Tür. Servus, Branco, sagte der Archivleiter, ich sitze in einer Besprechung, ich bin für dich absolut tot bis sechzehn Uhr, du verstehst?

Ja, und dann die Öffentlichkeitsarbeit, die Verbindungen nach Paris, Wien, Cambridge, Krakau und auch nach ihrem Bern und Zürich, und immer wieder neue Nachlässe, es ist hier der reinste Taubenschlag. Kaum kommt eine Taube, sprich: Nachlass, angeflogen, stellt sich schon die nächste ein und so fort. Ha, da fiel ihr jene Disco ein, «piccionaia» – Taubenschlag – hatte sie geheissen, wo sie abends, nach den Italienischkursen, mit jenem jungen Mann aus Trubschachen getanzt hatte, der dann später mit seinem Geschäft auch noch zwischen die Buchdeckel eines vielbeachteten literarischen Werks geraten war; damals waren sie beide jung und dumm gewesen, ein bisschen verliebt ineinander, nicht allzu heftig, es reichte gerade für die Abende in der «piccionaia» und für händchenhaltende Spaziergänge auf den Monte Brè hinauf. Eben mit jenem Hans.

Und man will mit diesen vielen Nachlässen, die da angeflogen kommen, auch arbeiten können, nicht wahr, will sie nicht einfach im Depositum lagern. Das heisst also im Klartext: Geld für unsere Forschunsprojekte auftreiben, Themen vorschlagen, Ausstellungen arrangieren, Verbindungen knüpfen, etwa mit der «Maison de la Poésie» in Paris (der Archivleiter sprach von der «Mäsong»). Nun ziehe ich aber doch die Stores hinunter, nicht wahr, die Sonne knallt gar zu sehr. Ist ja auch erstaunlich für diese Jahreszeit, schliesslich stehen wir im November . . .

Tun Sie das, sagte sie sofort und klappte ihr Notizheft zu, das sich mit bizarren Mustern überzogen und selbst Motive wie Nasen und fliegende Tauben nicht ausgeklammert hatte. Es war einfach garstig bestellt, dass man sich immer derart zusammennehmen und Disziplin wahren, nach aussen hin sachbezogene Fragen stellen musste, während innen die Gedanken ganz woanders hinliefen. Nie durfte man sagen: Entschuldigen Sie, meine Herren, ich muss jetzt für kurze Zeit über Nasen und ihr Verhältnis zum Gesamtbild nachdenken. Oder: Soeben sind mir meine frühen Jahre und ein junger Mann namens Hans eingefallen. Gerne würde ich bei dieser Reminiszenz etwas verweilen, Sie gestatten mir natürlich diese Abschweifung. Aber selbstverständlich, würden die Herren in einem solch ungeteilten Leben sagen, hangen Sie ruhig Ihren Träumereien nach, es liegt uns fern, einer fantasievollen Dame das Geringste abzuschlagen. Wissen Sie, unsere Zeit läuft uns nicht davon, wir bitten einfach den Uhrzeiger, für eine Weile stillzustehen. – Doch das Leben war eben nicht ungeteilt, sondern säuberlich aufgefächert, sortiert und reglementiert: hier Arbeit, dort Freizeit, hier Gehirn, dort die verschwiegene Träumerei, arrangez-vous. Und schon gar nicht konnte man einem unbekannten Mann, den man in der Bahn, im Restaurant oder auf der Strasse traf, etwa folgendes sagen: Vom Standpunkt meiner neuesten Erkenntnis aus betrachtet, gefallen Sie mir ausnehmend gut. Frédéric, Claudio, Matthias, István, Julio oder wie immer Sie heissen mögen: bleiben Sie doch noch eine Weile.

Ich zeige Ihnen nun die Archivräume, sagte da der freundliche Professor. Wollen Sie mir, bitte, folgen. Sie schritten über den Korridor, und er öffnete eines der Zimmer, in denen das Depositum lagerte – beinahe hundert Nachlässe, bekannte und weniger bekannte. Auf ihren Wunsch hin zog er etliche Kartonschachteln hervor, öffnete sie, und sie durfte darin blättern, stiess auf bekannte Namen und Orte, Widmungen, die bald stolz, bald ergeben-demütig klangen, fand Anfragen und Bitten vor, vermutete Enttäuschungen und Missverständnisse. Vieles war wohlgeordnet, verpackt, beschriftet und katalogisiert nach modernen Registriernormen. Anderes häufte sich noch immer auf den Tischen und Regalen, war nichts als ein Wust, ein letztes Zeugnis erregter Schreibleben, die nun in diese archivalischen Grüfte versenkt werden sollten. Ein wenig Weihwasser, ein letzter Gruss, ein «Requiescat in pace» – Ruhe in Frieden. Als ob sie stille blieben, all diese Schreiber, die sich durchgehungert, durchgedürstet und durchgeliebt hatten.

Als sie wieder draussen auf dem Campus standen, meinte der Arktisfahrer, dass er ebenfalls beabsichtige, seinen schriftstellerischen Nachlass samt der einschlägigen Korrespondenz diesem Archiv zu überlassen. Dort seien die Papiere in guten Händen. Wie, entfuhr es ihr, und unsere Briefe?

Na und? lachte er.

Es sei ihr ganz und gar unerträglich, seine und ihre Briefe der Öffentlichkeit auszusetzen. Sie hege in dieser Beziehung null Ehrgeiz. Wie könne sie jetzt, da sie um seine Absicht wisse, noch unbefangen den Briefwechsel mit ihm fortsetzen? Ihr komme es vor, als habe er in diesem Moment die Unschuld ihrer Korrespondenz zerstört.

Du liebe Zeit, schmunzelte er, regen Sie sich nicht auf. Selbstverständlich werden wir die Archivmenschen austricksen. Wir werden nämlich Geheimwörter verwenden und einen eigenen Code entwickeln. Es funkelte in seinen Augen, und hinter vorgehaltener Hand machte er gleich einige erste Vorschläge, sie fügte weitere an, und lachend gingen sie auseinander, nachdem sie sich für den kommenden Abend verabredet hatten.

Der Mangold

Am Abend traf sie sich mit dem Arktisfahrer in einem Restaurant der Altstadt. Ausgeruht waren sie beide, denn auch sie hatte sich nach der langen Besprechung und der anschliessenden Besichtigung des Archivs und seiner Bestände eine Stunde hingelegt, das konzentrierte Zuhören und Mitschreiben hatte sie angestrengt. Unversehens fragte er sie:

Wie wollen wir es nun miteinander halten? Wie Bruder und Schwester?

Nein, wie Mann und Frau, antwortete sie, Aug in Auge mit dem Taifun.

Eine stolze Kühnheit war über sie gekommen.

Nach einigem Nachdenken meinte er: Sie sind anstrengend, wissen Sie das?

Nein, erwiderte sie, ich glaube nicht, dass ich anstrengend bin, anstrengend ist, wenn überhaupt, eher das, was zwischen uns liegt. Ich würde aber lieber sagen: herausfordernd.

Da nannte er sie erstmals bei ihrem Namen. Lange hielt er ihre Hand in der seinen und sie legte ihre andere Hand darüber. Es schien ihr, seine ganze Seele sei in die Hand ausgeströmt, um die ihre zu umfangen. Meine Hände werden wieder zu Bauernhänden, sprach er nach langem Schweigen, es ist, als ob ich wieder zu meinen Ursprüngen zurückkehrte, nachdem ich das chirurgische Handwerk nicht mehr auszuüben brauche.

Die Herrschaften möchten speisen? fragte die Kellnerin. Ja, sie habe sich schon halbwegs für ein Menu entschieden, sagte die Frau. Welche Bewandtnis es denn mit den Schupfnudeln habe, die dem Hauptgericht beigegeben seien.

Ach, das ist ein Kartoffelteig, den man in Streifen zurechtschneidet, im Mehl herumschupft, danach mit einer Panade (Wiener, Mailänder oder Lemberger je nach Wunsch) anreichert, um die Streifen schliesslich goldgelb zu braten. Schmeckt ausgezeichnet.

Dann bevorzuge ich doch die auf der Speisekarte angeführten Bandnudeln als Beilage. Dem Arktisfahrer erklärte sie, dass sie derart komplizierte Zubereitungen verabscheue. Kochen Sie denn überhaupt gerne? fragte er sie. Um ihre Mundwinkel zuckte es.

Verzeihen Sie meine Frage, sagte er, Sie können es mir ruhig sagen, wenn Sie die Kocherei nicht mögen.

Doch, im Gegenteil, lachte sie, nur muss es kurz und elegant zugehen. Sie habe eine eigene Philosophie entwickelt, Philosophie sei vielleicht etwas hochgestochen, aber sie liebe klare Linien, das heisse: nur ein Gewürz und dieses nicht zu vorherrschend, dennoch präsent, keineswegs aber eine Mischung verschiedener Gewürze, von denen schon ein einziges genüge, um einen Hauptton abzugeben. Auch meide sie Menus mit vielen Gängen, liebe dagegen eine schlichte Komposition in einer augenfälligen Farbgebung. Es gehe zum Beispiel nichts über einen Safranrisotto mit einem zartgrünen Salat, das wecke in ihr sogleich Erinnerungen an Landschaften wie die Emilia romagna.

Wie würden Sie Mangold zubereiten? fragte er plötzlich.

Mangold?

Ja, Mangold. Eine Marktfrau hat ihn mir kürzlich angeboten, aber ich wagte es nicht, dieses Gemüse zu kaufen, weil ich nicht wusste, wie es zuzubereiten wäre.

Ein schöner Name – Mangold. Mangold, sagten Sie?

Ja, Mangold.

Jener Mangold, den sie als Kind im Garten holen musste, kurz vor Mittag, weil noch das Gemüse als Beigabe fehlte. Hol Mangold im Garten, hatte Mama gesagt, und das Kind war durch die Haustür in den Garten hinausgegangen, über den Kiesweg geschritten, hatte den Löwenkopf am Ende der barocken Balustrade gestreichelt, warm war der Stein, sonnenwarm, und die Eidechsen flitzten zwischen den Spalieren über die Mauer hinweg, dann über die leicht gewundene Treppe hinunter in jenen Teil des grossen Gartens, der als Gemüsegarten angelegt war, beinahe leben wir in den Hängenden Gärten der Semiramis, erklärte Papa lachend den Gästen, wenn er das Areal zeigte, welches sich tatsächlich über drei verschiedene Ebenen hinzog: zuoberst der Rasen, dann die Gemüsekulturen mit dem Hexenhaus, wie es die Kinder nannten, zuunterst die Wiesen mit den Obstbäumen und Beerensträuchern und erst dann die langsam berstende Mauer mit den wilden Reben, welche den Garten umfasste, in dessen Mitte das Haus beinahe thronte, ein Haus, welches zu Beginn der zwanziger Jahre erbaut worden war, ein Haus mit vielen Mängeln – nachkriegsbedingt, wie der Architekt gemeint hatte –, aber ein besonderes Haus, die «Villa Wildwest» eben, wie die Nachbarn sie nannten.

Hol Mangold, was träumst du, rief Mama aus dem Esszimmer, das Wasser siedet schon. Dabei hatte das Kind noch die Gräber der kaputten Puppen und toten Vögel besichtigen wollen, jene Verliese zwischen den Traubenstöcken an der hohen Mauer, die es zusammen mit der jüngeren Schwester angelegt hatte, auch Gesänge hatten sie bei der Bestattung angestimmt, einen Trauerflor um den Kopf gelegt, und das Kind hatte gar eine kleine Predigt gehalten, liebe Trauergäste, hatte es gesagt, aber die Schwester hatte zu kichern begonnen, Mangold, fünf Stück, rief Mama nochmals aus dem Fenster. Ja, unsere Tochter träumt wieder einmal, sagte auch Papa. Ein sensibles Mädchen, meinte Mama gegenüber den Besuchern, aber die Schwester hatte sich einmal in einem solchen Moment energisch gemeldet und erklärt: Sie sei zwar nicht zart, dafür charmant, was ihr den Namen «Charmante» eingetragen hatte.

Sie träumen, gnädige Frau? fragte nun auch der Arktisfahrer.

Ja, der Mangold, mir ist da einiges durch den Kopf gegangen.

Ich sah's Ihnen an, Sie bekamen so einen entrückten Blick. Unsereiner ist ja sonst immer mit Wachheit geschlagen.

Sie erklärte ihm nun, wie er den Mangold zubereiten könne, schlug ihm eine einfache Kochart vor, damit er sich ja nicht zu lange bei diesem Gemüse aufzuhalten brauche.

Madame Gisela Freudiger d'Augustin habe das Kochen auch sehr geliebt und eine Menge eigener Menus kreiert, ihnen dann auch bizarre Namen verliehen. Wer Madame Freudiger sei, fragte sie. Aus dem mährischen Judentum stamme ihre Familie, aus der Gegend von Nikolsburg, heute Mikulov, einem Zentrum der in Mähren ansässigen Juden. Sie selbst sei über Budapest nach Wien gekommen, wo er sie in den fünfziger Jahren kennengelernt habe. Die späteren Jahre habe sie in Frankreich verbracht, und hätte sein Schicksal anders entschieden, so wäre er von Osten nach Westen gereist, hätte die französische Sprache erlernt und sein Leben mit eben dieser Madame Gisela Freudiger verbracht. Sie habe Gedichte geschrieben, auch kurze Prosastücke, vor allem aber sehr schöne Gedichte.

Er schaute sie nachdenklich an, sagte: Es kommt mir fast so vor, Sie gleichen Madame Gisela. Sie lebt zwar schon seit einigen Jahren nicht mehr, aber irgendwie scheint mir –

Sie lächelte, antwortete ihm aber entschieden, dass sie nur sich selber gleichen möchte. Sie bitte ihn, dies zu bedenken. Die Rolle einer Revenante gefalle ihr gar nicht.

Die bischöfliche Wohnung

Sie beschlossen, nach dem Nachtessen noch etwas unter den Arkadengängen dahinzuschlendern. Doch waren sie erst einige Schritte gegangen, als er plötzlich stehenblieb. Das ist eine Überraschung, rief er, wer kommt uns denn da entgegen? Sie blickte ihn fragend an. Der Bischof höchstpersönlich, flüsterte er.

Salve, Professore, lachte ein eher kleiner, breitschultriger Mann. Und: Mein verehrter Bischof, konterte der Arktisfahrer.

Sage mir einmal, alter Knabe, ich habe dich doch bereits zu den seligen Einsiedlern geschlagen, und nun kommst du in weiblicher Begleitung, wie soll ich das verstehen? Der Bischof forderte eine Erklärung, indem er ihr freundlich zulächelte.

Darf ich vorstellen, sagte der Arktisfahrer, mein Klassenkamerad im Gymnasium der Jesuiten, der Herr Bischof unserer Stadt – und hier, meine weibliche Begleitung: eine femme de lettres aus dem Ausland. Der Bischof begrüsste sie herzlich und sagte dann, dass er eben von einem der Aussenquartiere komme, wo er auf dem St. Jakobs-Friedhof einen Sandler beerdigt habe.

Und warum zu Fuss, lieber Freund, ist etwa die Autobatterie der bischöflichen Limousine leer? fragte der Arktisfahrer.

Weit gefehlt, antwortete der Bischof, es sind meine Cholesterinwerte, die mich zum Stadtstreicher werden lassen. Mehr Bewegung, hat mir dein Kollege, der Herr Primarius, geraten.

Du weisst aber, dass man zwischen guten und schlechten Cholesterinwerten unterscheidet, mein Lieber?

Wem sagst du das? Mit der christlichen Morallehre bekunde ich zwar die grösste Mühe, aber hier erkläre ich mich sehr wohl mit der Unterscheidung zwischen Gut und Böse einig. Leider sind es in meinem Fall die schlechten Cholesterine, die einen Grenzwert erreicht haben.

Die Frau schmunzelte. Er habe vorhin den Begriff «Sandler» gebraucht, sie verstehe diesen Begriff nicht.

Ach, Sandler, gnädige Frau, das sind die Obdachlosen.

Aber, Exzellenz, du kannst doch nicht jeden Obdachlosen dieser Stadt höchstpersönlich bestatten, fragte der Arktisfahrer, wo kämest du da hin? Und unsereiner bliebe wohl ungetröstet mit den Segnungen von Mutter Kirche, hm?

Jetzt tu doch nicht so, mein Lieber, ganz abgesehen davon, dass es auch noch die geistigen Sandler in unserem Land gibt, zu denen du wohl gehören möchtest, nicht wahr?

Der Arktisfahrer brummte unverständlich vor sich hin. Keine voreiligen Zuordnungen, schimpfte er schliesslich. Aber jetzt die Geschichte mit deinem Sandler.

Na, der František. Der hat so eine Art Testament hinterlassen, hat darin geschrieben, dass ihm während seines Lebens viele Wünsche versagt worden seien, aber im Hinblick auf seinen Tod hätte er einen einzigen Wunsch: Er möchte von mir im Armengrab bestattet werden. Du, das konnte ich doch dem František nicht abschlagen. Da bin ich eben hingegangen, habe alle Termine abgesagt, hab dann auch noch mit den anderen Sandlern bei den Karmelitinnen, draussen vor den Siebenburgen, Kaffee getrunken und Kuchen gegessen und wieder so vieles aus den Hinterhöfen meiner Diözese vernommen. Ja, der Bischof muss ja auch in diesen Welten wohnen, wo kämen wir da hin, wenn wir nur mit Äbten, Synodalräten und sonstigen gepflegten Kirchenleuten verkehrten. Dann bin ich auch noch beim Toni an der Mihatschgasse gelandet, du kennst ihn wohl, wandte sich der Bischof an den Arktisfahrer, das ist dieser junge Mann, der den Nachlass unserer grossen Dichterin betreut. Zu ihrem achtzigsten Geburtstag will er einen Band unveröffentlichter Gedichte herausgeben, und da hat sich jetzt ein besonderes Problem gestellt, ein exegetisches Problem, genau gesagt, über dem wir sinniert haben. So ist die Zeit vergangen, und mein Sekretär wird sich wohl fragen, wo ich so lange geblieben bin. Wie wär's indessen, wenn Ihr bei mir noch ein Glas Wein genehmigen würdet?

Der Arktisfahrer blickte sie fragend an, aber sie nickte sofort, sagte, es wäre ein besonderes Vergnügen für sie.

Die bischöfliche Wohnung befand sich, wie gesagt, am Domplatz, im dritten Stockwerk eines unauffälligen Hauses. Auf dem Schild neben der Türklingel war lediglich der Name des Bischofs vermerkt, jeder Hinweis auf seine geistliche Würde fehlte. Im Aufzug fuhren sie hoch, der Bischof schritt voran und öffnete die Tür zu einem geräumigen Appartement, das mit Geschmack, aber keineswegs prunkvoll eingerichtet war. Im Salon wies er ihr einen Sessel zu, hinter dem das hochformatige Porträt eines Würdenträgers den grössten Teil der Wand bedeckte; der Arktisfahrer setzte sich ihr gegenüber, nahe beim Bischof. Während sich dieser mit dem Wein und den Gläsern zu schaffen machte, wies der Arktisfahrer auf das Bild hinter ihr: Es sei das Brustbild eines Vorgängers im bischöflichen Amt dieser Stadt, der um die Jahrhundertwende als Knabe hierher geflüchtet sei. Es habe sich nämlich um ein jüdisches Kind gehandelt, das zusammen mit der Familie wegen eines Pogroms die

Heimatstadt verlassen und hier Schutz gesucht habe. Der damalige Bischof habe die Familie in seinem Haus versteckt, der Knabe sei von ihm unterrichtet worden, habe später den christlichen Glauben angenommen und sei schliesslich selbst zur Bischofswürde gelangt. Der Vorgänger des jetzigen Bischofs (Sie erinnern sich vielleicht an die Geschichte der Kapelle mit dem Judenstein, die ich Ihnen im vergangenen Jahr, bei Ihrem ersten Besuch, erzählt habe) hat die Tatsache, dass es sich um einen ursprünglichen Juden gehandelt hat, immer unterschlagen. Auf jeden Fall hängt das Bild erst hier, seit der jetzige Bischof im Amt ist. Exzellenz, was braust du für uns zusammen?

Einen schönen Roten aus Kalifornien, «Round Hill» heisst er, Rebgut Zinfandel, abgerundet im Geschmack, harmonisch, wie wir Menschenkinder eben gerade nicht sind.

Für meine femme de lettres solltest du indessen noch Mineralwasser bereitstellen, sie ist Asketin.

Der Bischof blickte sie prüfend an. Sie sieht mir nicht danach aus, meinte er. Sag einmal, alter Kamerad, hat deine Sehkraft nachgelassen, oder siehst du ganz einfach nur das, was du sehen willst?

Ich bitte dich, mein Lieber, überlass solche Spekulationen den Ophthalmologen, bleib auf deinem Terrain.

Zum Wohl, ihr medizinisch-literarischen Herrschaften, rief der Bischof ungerührt und hob sein Glas.

Wo sich seine Karikaturen befänden, die Porträts aus dem Vatikan, wagte sie zu fragen. Ah, lachte er, gerade würden sie gerahmt, im Vorfeld einer inoffiziellen Ausstellung, die er hier in seiner Wohnung zu veranstalten gedenke. Er wolle dazu nicht nur seine Freunde und Sympathisanten einladen, sondern auch einige der katholischen Lemuren, Leisetreter, Höflinge und Domestiken, um ihren Kreislauf in Wallung zu bringen.

Sie sind also kämpferisch, Herr Bischof? fragte sie.

Nicht unbedingt, gnädige Frau, eigentlich bin ich immer für Nachsicht und Barmherzigkeit eingetreten.

Im Grunde genommen traditionell weibliche Tugenden, ergänzte sie.

Oh, ich plädiere in diesem Fall unbedingt für diese weiblichen Tugenden, sie bringen uns weiter als die entzückenden sogenannten männlichen Eigenarten, als da sind: Sturheit, Unbeugsamkeit, Härte.

Den Gott der Dogmatiker, den Gott der fixen Begriffe gibt es eh nicht, warf der Arktisfahrer ein. Ihm schwebe ein Gott vor, mit dem man reden, sich auseinandersetzen könne, ohne dass er darüber die Würde der Transzendenz verlieren müsse. Immer hätten ihn in dieser Einstellung die Juden bestärkt, die eben vor Gott nicht beteten, sondern mit ihm sprächen.

Ja, da fällt mir gerade wieder der Sandler ein, unser František, sagte der Bischof. Dieser habe ein ganzes Notizheft voller Gebete hinterlassen, aber eigentlich seien es Gespräche mit Gott gewesen; viele Fragen habe er gestellt, auch Vorwürfe nicht unterlassen, Vermutungen habe er geäussert, alles ganz lebendig, nicht in dieser vorgeformten Steifheit, die früher das sog. Gebetsleben bestimmt habe. Überhaupt berühre es ihn immer wieder, wie viel sich im Verborgenen ereigne – bei Menschen, von denen man es gemeinhin kaum erwarte. Alles wirklich Grosse geschehe letztlich leise.

Deshalb liebe sie auch jene Stelle im Buch der Könige, schaltete sich nun die Frau ein, wo sich Elias am Berg Horeb versteckt und vor die Höhle treten muss, um den Durchgang des Herrn nicht zu verfehlen. Aber Gott zieht nicht im Sturm vorüber, nicht im Erdbeben, nicht im Feuer, sondern nur als ein leises Säuseln.

Ja, das ist tatsächlich eine wunderbare Stelle im Alten Testament, stimmte ihr der Bischof bei; ich nenne es lieber das Erste Testament, weil es sonst gegenüber dem Neuen gleich den Beigeschmack des Minderwertigen erhält.

Der Bischof schenkte Wein nach, vergass auch nicht das Mineralwasser für sie.

Und was ist mit der Ungeduld angesichts der heutigen Unbeweglichkeit in der Kirche? fragte sie.

Schöpferisch umsetzen, gnädige Frau, sagte der Bischof. Mut zur Phantasie, Mut zu Kirchenträumen, doch das brauche ich Ihnen wohl kaum eigens zu sagen. Frauen sind in dieser Hinsicht schon viel weiter vorangekommen als wir Männer. Aber trotzdem Augustinus nicht vergessen (ja, ich weiss, dieser Kirchenlehrer ist bei den Frauen nicht unbedingt beliebt, ist eben auch ein Mann seiner patriarchalischen Zeit), also dieser Augustinus mit seinem Zitat «Unruhig ist unser Herz . . .». Die Unruhe gehört immer zum menschlichen Leben, nicht wahr?

In diesem Moment glaubte sie ein behagliches Seufzen zu hören. Sie blickte sich suchend um, und da entdeckte sie im Halbdunkel, zuhinterst im Salon, eine Katze, die sich genüsslich in der Tiefe eines Polstersessels auf die andere Seite drehte, die Vorderpfoten lang vor sich hinstreckte und den Kopf darauf legte.

Oblomow, mein Kater Oblomow, gnädige Frau, sagte der Bischof, der ihrem Blick gefolgt war. Ein edles Tier, das die Segnungen des Schlafes längst zu schätzen weiss. Kein Unruhestifter, beileibe nicht. Er schläft mindestens so viel wie einst sein grosses Vorbild in St. Petersburg. Ich versenke mich oft in seine

Betrachtung, wenn ich selbst um Gelassenheit kämpfen muss. Da blicke ich auf das schlafende Tier, sein Fell, das sich hebt und senkt, und dann kommt wieder die Ruhe über mich. Eine herrliche Kreatur, dieser Oblomow, ein wahrer Meister in der Kunst des Müssiggangs. Leider hat man uns gerade diese Gangart verteufelt, dabei wäre sie ebenso königlich wie weise zu nennen, nicht wahr, mein lieber Oblomow?

Auch Gontscharows Oblomow verdiene eine Rehabilitation, warf die Frau ein, er sei nicht nur der Faulpelz und Dicksack der russischen Literatur.

Sondern? fragte der Bischof, neugierig geworden.

Ein Beispiel dafür, Exzellenz, dass der Herr es den Seinen im Schlaf oft auch gibt – und nicht nur nimmt. Sie zwinkerte jetzt zum Arktisfahrer hinüber, der mit scheinbar ungerührter Miene, einem Komiker wie dem ewig ernsten Buster Keaton nicht unähnlich, seine «Chesterfield» rauchte. Der Bischof aber horchte auf, und um ihm zuvorzukommen, fragte die Frau nach dem Alter des bischöflichen Katerherrn.

Er hat beinahe ein biblisches Alter erreicht – sechzehnjährig ist er.

Nun muss ich dich doch bitten, mein verehrter Bischof, mit deinen Termini vorsichtiger umzugehen, sagte der Arktisfahrer, du sprichst von «biblischem Alter», wenn du dein heidnisches Haustier meinst. Denn Katzen haben ja nun wirklich innerhalb der christlichen Tiersymbolik nichts verloren.

Ach, sei doch nicht so fundamentalistisch, spottete der Bischof, ich bin nicht für säuberliche Trennungen, im Gegenteil: Es soll vieles nebeneinander Platz haben dürfen. Und überhaupt: In Deutschland kenne ich eine Jesuitenkommunität, da sitzt in jedem Büro der gelehrten Mitbrüder eine Katze. Neun sind's im ganzen, mein Gestrenger. Und dazu noch über dreissig Feldhasen, die sich in ihrem Park tummeln. Der Pater Superior hat mir gesagt, man müsse befürchten, diese Feldhasen würden noch einmal das Fundament des Hauses mit ihrer Knabberei bedrohen.

Nun reicht's mir aber mit dem tierischen Ulk, warf der Arktisfahrer ein. Eine ganz andere Frage, mein Lieber: Was gedenkst du eigentlich zu tun, wenn du in einigen Jahren als Bischof pensioniert wirst?

Der Bischof lehnte sich zurück: Ich werde ein Büro eröffnen für religiöse Unterhaltung. Mit dem Humor ist es ja schlimm bestellt, mein lieber Compagnon. Ich glaube daher, dass es mir an Arbeit keineswegs fehlen wird.

Und du denkst an einen Ein-Mann-Betrieb? fragte der Arktisfahrer in gespieltem Ernst.

Sicher, mon cher, denn ich muss vorerst einen eigenen Stil prägen, muss auch die Marktlage erkunden, das Spiel von Angebot und Nachfrage regeln. Erst zu einem späteren Zeitpunkt werde ich expandieren; ich denke dabei an Zweigstellen in meiner Diözese und an Tochtergesellschaften im römisch-katholischen Ausland. Aber Spass beiseite: Ich bin überzeugt, dass es nicht nur ein homerisches Gelächter gibt, sondern auch ein göttliches Lachen.

Da erhebt sich die Frage, worüber Gott wohl lachen mag, wandte sie ein.

Tja, gnädige Frau, das ist die Kernfrage, und man fragt sich dann gleich: Gibt's denn überhaupt für IHN noch etwas zum Lachen? Und da kämen wir zu den verwickelten Fragen der Theodizee, aber auf keinen Fall an ein Ende. Und trotzdem glaube ich an das göttliche Lachen (nicht das Gelächter, meine Lieben), vielleicht ist es für mich eine Metapher ursprünglicher Freude, Heiterkeit, ja warum nicht der Liebe? Der Mensch ist nicht erschaffen worden, um zu verzweifeln, sondern doch wohl eher, um zu lieben.

Es klopfte an der Tür. Ja, bitte, rief der Bischof. Die Tür öffnete sich, und herein trat ein junger Mann, vielleicht zwanzig Jahre alt, der mit dem Kopf in die Richtung des Bischofs und seiner Gäste nickte. Mein Pflegesohn, der Pepi, sagte der Bischof, und er neigte sich zu dem jungen Mann, vollführte bestimmte Gesten mit den Händen und begleitete ihn danach wieder zur Tür.

Der junge Mann ist stumm, flüsterte der Arktisfahrer, als die Frau ihn fragend anblickte.

Der Bischof setzte sich wieder zu ihnen. Wie lange wohnt er jetzt schon bei dir, dein Pflegesohn? fragte der Arktisfahrer.

Seit fünf Jahren, seit er aus dem Heim hierhergekommen ist. Jetzt absolviert er eine Lehre als Schreiner in einer geschützten Werkstatt. Er ist handwerklich begabt, ein lieber Bursche. Und er lehrt mich vieles. Zum Beispiel Geduld.

Sie sprachen noch über manches. Oblomow seufzte mehrmals in seinem Katerschlaf, durchaus selig, wie ihr schien, und der Arktisfahrer tauschte mit dem Bischof Erinnerungen an alte Zeiten aus: Prüfungsängste stiegen wieder auf, aber auch Lausbubenstreiche gegenüber strengen Professoren, ja, der Pater X und erst der Pater Y! Und dann die Aufführungen im Schultheater, wobei der Bischof für die Singspiele gar nicht in Frage gekommen sei (aus bekannten Gründen, zwinkerte ihr hier der Arktisfahrer zu). Was hast du gegenüber deiner femme de lettres ausgeplaudert, alter Schlachtgenosse, wollte der Bischof wissen. Hast du die Geheimhaltepflicht verletzt? Und dass der Arktisfahrer mit seinen langen Beinen einmal über die Bühne gestolpert und beinahe in den Orchestergraben hinuntergefallen sei, was ihm nachher eine Ohrfeige des Regisseurs, dieses cholerischen Paters Z, eingetragen habe.

Kurz vor Mitternacht verabschiedeten sie sich vom Bischof. Er grüsste sie nochmals mit einem «Salve», sagte auch, er erinnere sie, die Frau, noch an ein anderes Augustinus-Zitat, sie möge es ihm nachsehen: Ama et fac quod vis – liebe und dann tu, was du willst.

Freundlich lächelte er ihr zu und fügte bei: Es dürfe, wie schon gesagt, vieles nebeneinander Platz haben.

Aber was ist mit der Sehnsucht? fragte die Frau noch.

Die Sehnsucht? wiederholte der Bischof und hielt inne. Ja, die kommt von weit her.

Glauben Sie das wirklich, Herr Bischof? Und die Frau blickte bei dieser Frage auf den Arktisfahrer, der vor einem der Regale stand und sich in ein Buch vertiefte. Der Bischof folgte ihrem Blick, und ein Lächeln breitete sich auf seinem Gesicht aus.

Dennoch, gnädige Frau, wie es mit Ihrer Sehnsucht auch immer bestellt sein mag, sie kommt von weit her, ist vielleicht ein Schimmer jenes Paradieses, aus dem wir alle einmal gekommen sind (von Vertreibung will ich gar nicht sprechen), und sie reicht bis dorthin voraus, wohin wir alle einmal gehen werden. Unser Leben ist im Grunde genommen ein einziger Advent.

Das hiesse, dass wir immer warten?

Gewiss, es muss deswegen noch lange nicht Godot sein, auf den wir warten, gnädige Frau, sagte der Bischof beinahe listig.

Verirr dich nicht in die Domäne des absurden Theaters, mein Lieber, meldete sich jetzt der Arktisfahrer.

Was brauche ich mich gross zu verirren? Das ganze

Leben ist ein theatrum absurdum, und die Frage deiner femme de lettres bringt mich eben auf den Gedanken, dass wohl niemand anderer als die Sehnsucht Regie führt.

Schluss jetzt, Exzellenz, rief der Arktisfahrer.

Mein Lieber, recht hast du, das Ende wird immer wortlos sein.

Der Passübergang

Als sie am nächsten Morgen im Hotelzimmer den deutschsprachigen Rundfunksender andrehte, sprach der Nachrichtensprecher von katastrophalen Unwettern im nordwestlichen Italien. Es seien die grössten Niederschlagsmengen seit 45 Jahren gemessen worden. Man vermute eine Zahl von beinahe einhundert Toten, die Opfer der Überschwemmungen geworden seien. Die Umweltschutz-Organisationen hätten massive Vorwürfe an die Adresse der italienischen Regierung gerichtet, die nicht nur zu spät die Hilfsmassnahmen in Städten wie Turin und Alba eingeleitet, sondern auch seit Jahren tatenlos den Raubbau der Natur, besonders das Abholzen der Wälder, geduldet habe. In der meteorologischen Durchsage wurde danach vermerkt, dass sich die Störung vom Westen nach Osten verlagere und in kurzer Zeit auch unser Land erreichen werde. Es sei mit schweren Regenfällen zu rechnen.

Sie warf einen Blick aus dem Fenster. Doch draussen lag noch immer der Glanz jenes Spätherbstmorgens, den der Fallwind blank ausgefegt hatte. Die Berge traten ihr in aller Klarheit entgegen, beinahe jeder Riss, jede Schrunde liess sich erspähen, und in der Ausgabe der deutschsprachigen Zeitung las sie, dass die Temperaturen in der Stadt und ihrer Region wieder auf zwanzig Grad ansteigen sollten. Ein trügerischer Nachsommer, dachte sie beklommen. Hoffentlich hielt dieses ungewöhnlich freundliche Wetter wenigstens heute noch an, denn er wollte doch mit ihr zusammen diese Reise über den Pass machen, hinunter in den Süden, dem Meer zu. Er nannte es sein geliebtes Tal, und er wollte es ihr einmal zeigen.

Für sie wäre die Reise dorthin eine Premiere, auch eine Vollendung dessen, was sich bei ihrem ersten Aufenthalt in der Stadt am Fluss nicht hatte verwirklichen lassen, hatte er doch damals die Reise abgebrochen.

Er erwartete sie wiederum punkt zehn Uhr vor dem Hoteleingang. Noch während sie in seinen Wagen stieg und sich angurtete, spürte sie, dass sich in ihrem Kopf eine Dumpfheit einzulagern begann, die sie auf der rechten Seite ortete. Sie stellte für sich selbst die Diagnose, ein Anflug migräneartiger Kopfschmerzen, aber sie wollte nicht weiter darauf achten, wollte den Tag mit ihm zusammen auskosten. Dennoch spürte sie unweigerlich eine gewisse Müdigkeit und beschloss, sich zurückzulehnen, die Augen halb geschlossen, während er mit ihr aus der Stadt hinaus und auf die grosszügig angelegte Passstrasse fuhr. Die Häuser flohen immer weiter zurück, die Siedlungen und Dörfer, und bald einmal tauchten sie in eine Region, deren Wälder in den ausklingenden Herbstfarben wogten, denn der Südwind wehte hier oben stärker, hemmungsloser. Die Lärchen aber glühten geradezu wie Pfingstfeuer. Er erzählte ihr von den Nachtigallen, die er als Soldat während nächtlicher Wachen in der Ukraine gehört hatte, es klinge wie der Gesang von Amseln, noch schöner, weitaus melodischer. Warum er gewusst habe, dass es Nachtigallen waren, wollte sie wissen. Das sei leicht zu erraten, meinte er, dieser Singvogel, übrigens unansehnlich, sei der einzige, dessen Gesang auch nachts zu hören sei, besonders in der Spätfrühlingszeit, da das Weibchen brüte. Nachher werde der Gesang leiser und seltener und höre um Johannis ganz auf.

Sie döste wieder vor sich hin, fing nur ab und zu einige Teile seiner Geschichten auf, die er fast eher sich selbst zu erzählen schien: von Nagelschmieden, die früher in dieser Gegend gewohnt hätten, unvermittelt auch von einer Zwergin, mit der er, der lange Mensch von einsfünfundachtzig, herumspaziert sei, nur eine kurze Zeit, denn er verabscheue Behinderungen jeglicher Art, er wolle damit in Ruhe gelassen werden, dulde nur Selbständigkeit in seinem Umkreis – ich weiss, ich weiss, mit meinem ärztlichen Ethos ist das nicht zu vereinbaren, vielleicht bin ich ein Scheusal. Aber andrerseits bin ich eben ein versteckter Ästhet –

Scheusal, sagten Sie? warf sie halb im Schlaf ein. Tatsächlich, viel fehlt dazu nicht, vielleicht einige Zentimeter.

Na, verehrte Frau, so schlimm wird's wohl mit mir auch wieder nicht sein, sonst sässen Sie jetzt nicht neben mir. Aber ich muss schon sagen: Diese Neckerei auf den leeren Magen, das ist ein arges Stück von Ihnen.

Sie zwinkerte ihm mit den Augen zu und lehnte sich dann wieder zurück, um weiterzudösen. Halb hing sie ihren Gedanken nach, halb hörte sie ihm zu: dass die Herren Kollegen aufs Geld erpicht seien und unnötige Operationen ausführten, um die Zweitwohnung am Meer finanzieren zu können, nicht zuletzt die Brüder von der Gynäkologie, die glaubten, den weiblichen Körper verwalten zu müssen ... Ja, und die Nachtschwester, die ihren Schwarztee immer mit Äther anreicherte, weil sie süchtig danach war, die dann halb betäubt neben meinem Bett sass, als ich unmittelbar nach dem Krieg meine Tuberkulose auskurieren sollte. Fürchterliche Fieberschübe, sage ich Ihnen, und die Nachtschwester musste mich von Zeit zu Zeit abwaschen, aber manchmal liess sie solches bleiben, weil sie völlig beduselt war und mit einem dummen Lächeln auf ihrem Stuhl hockte. Da ich Jahre später nicht noch einmal ins Tuberkulosekrankenhaus einziehen wollte, überarbeitet wie ich war, machte ich auch Schluss mit der Literatur. Alles vernichtet, alle Kontakte abgebrochen. Denn wo hätte das Schreiben noch Platz gehabt! So hab' ich das nämlich praktiziert: Um halb fünf aufstehen, schwarzen Kaffee trinken und schreiben bis sechs Uhr dreissig, dann Klinik, umziehen, waschen. Sieben Uhr Operationssaal, erster Schnitt. Operieren bis zehn, dann Poliklinik bis dreizehn oder vierzehn Uhr, ein Brot und schwarzen Kaffee, wieder Poliklinik oder Konsiliardienst bis nach achtzehn. Raubbau, sag ich Ihnen. Jedes dritte Wochenende einen zusätzlichen Dienst ohne Zeitausgleich. Der Nachtdienst bezahlt mit einem Stück Käse und einem Brot. Dann hätte man auch noch wissenschaftlich arbeiten sollen und müssen – der Chef konnte einem jederzeit ohne Begründung kündigen. Wo also hätte das Schreiben noch Platz gehabt? Erst später habe ich wieder in einen Rhythmus gefunden, der mir auch das Schreiben gestattete, limitiert allerdings. Na, das waren Geschichten, ganz zu schweigen von jener jungen Hilfsschwester, die eines Morgens statt auf der Stationszentrale im Bett eines Patienten gefunden wurde. Sofortige Entlassung. Schauen Sie auf die Berge rundherum, alles Kletterparadiese, abgekraxelt, abgewandert von mir in jüngeren Jahren, tolle Passagen mit wechselnden Schwierigkeitsgraden. Übrigens, es zieht eine Schlechtwetterfront auf, vielleicht haben Sie es schon bemerkt?

Sie schaute hinaus. Tatsächlich, westwärts waren die Wälder erloschen, während ostwärts noch stets die Cirrus-Wolken am Himmel hingen, müde und immer mehr sich zerfasernd.

Auf der Passhöhe stiegen sie aus, er erklärte ihr die Rundsicht, die Berge, die sich heranschoben. Die

Luft war frisch und blies ihre Müdigkeit weg. Ein kleiner See glänzte neben ihr auf. Aber wo war das Meer, das man sonst von der Passhöhe aus erblicken konnte? Eine Nebelsuppe braute an seiner Stelle.

Das Wetter hatte sich auf der anderen Seite des Passüberganges tatsächlich bereits verschlechtert. Zwar schien immer wieder eine Ahnung von Sonne aufzublitzen, während sie hinunterfuhren, aber die Hoffnung auf ihren Durchbruch erwies sich als trügerisch. Die Rebberge, die beidseits die Hänge hinanzogen, erschienen ihr fahl, das vielgerühmte Sonnenland zeigte sich ihr eher als ein Schattenland. Dennoch wollte sie nicht darauf achten. Lieber hielt sie sich an den Hinweis der Autobahnschilder: 305 Kilometer bis M., Stadt der Musik, Stadt am Meer. Eigentlich sollte sie ihn dorthin entführen, die Frau den Mann, damit nicht immer einzig Männer die Entführungen vornahmen. Sie setzte ihn von ihrem Plan in Kenntnis. Er meinte trocken: Übernehmen Sie sich nicht.

Mehrmals hielten sie an. Er zeigte ihr Fresken, führte sie in Abteien, Innenhöfe, Kreuzgänge, zu fürstbischöflichen Residenzen, die mit Wassergräben umzogen waren, zu jenem Gebäude auch, in dem einst der Philosoph aus dem Norden gewohnt hatte, der am Ende des Mittelalters, kurz vor Beginn der Neuzeit, vom Zusammenfall der Gegensätze gesprochen hatte, wonach also das Grösste mit dem Kleinsten, das Fremde mit dem Vertrauten in eine Einheit münden konnte.

Oder Männliches und Weibliches, fügte sie bei.

Halt, davon hat der Philosoph nichts gesagt.

Aber *ich* sage es. Philosophien sind da, um weitergedacht zu werden.

Na ja, aber warum denn gleich so ins Subjektive hinein, meine Liebe?

Ich sehe nicht ein, warum Sie, Herr Professor, das Männlich-Weibliche zur Kategorie des Subjektiven schlagen. Es ist immerhin die älteste Angelegenheit der Welt und vielleicht sogar die wichtigste, wage ich zu behaupten.

Er schaute sie belustigt an: Habe ich nicht unlängst gesagt, Sie seien eine anstrengende Frau?

Ich sage jetzt überhaupt nichts mehr, lachte sie, das letzte Wort in dieser Sache gehört ausnahmsweise Ihnen.

Alles, das Geschaute und das Gehörte, würde sich ihr später ineinanderschieben, in ein Kaleidoskop gedämpfter Farbmuster. Eine kaum merkliche Bewegung, und schon stoben die Muster auseinander, fügten sich zu neuen Arrangements, und immer seine Hand, sein Arm, sein Gesicht, die Gestalt neben ihr.

Auch in den Dom traten sie, und während sie durch das Mittelschiff auf den Chorraum zuschritten, raunte er ihr zu: Ich stelle mir gerade einen feierlichen Einzug an kirchlichen Hochfesten vor, mit Orgel, Glockengeläute, Weihrauch und all den katholischen Requisiten. Und ich als Bischof mit Stab und Mitra – es muss doch ein tolles Gefühl sein, oder nicht?

Na, Sie heimlicher Kleriker, lachte sie.

Bitte, nicht schon wieder diese Neckerei.

Selber schuld, *Sie* haben angefangen, Herr Bischof.

Der Kirchenraum war üppig ausgestattet, ein Haus voller Gold und Pracht. Sie verweilten einmal hier, einmal dort. An den Trompe-l'œil-Effekten aber sog sie sich fest: an Säulen, die zuerst als plastische Konstruktionen in die Höhe strebten, oben aber in bloss zweidimensionale, täuschend echt gemalte Kapitelle ausliefen. Kein Halt wäre dort mehr gewesen. Und in den Zwickeln lockten Fensterausblicke, die zu zauberischen Gärten hinlenkten, mit Palmen und Meeresausschnitten, aber auch sie nur aufgesetzt, in der al fresco-Manier vom Maler virtuos auf den Putz hingeworfen.

Einmal, während sie, in den Anblick dieser Paradiese vertieft, dastand, legte er sein Gesicht auf ihr Haar, und sie glaubte, den Namen «Berenike» zu hören.

Vor dem Portal des Domes sass eine Katze, ein Jungtier von ungefähr drei Monaten, wie sie schätzte. Er bückte sich, sprach zu dem Tierchen, das ihm zutraulich um die Beine strich und seinen Kopf an ihm rieb. Eigentlich habe er sich immer eine Katze als Haustier gewünscht, sagte er, er schätze an ihnen die Ruhe und Autonomie, ihre Unbeirrbarkeit und das seidene Fell natürlich. Sie wiederum erzählte ihm einige Episoden von ihrer Katze Mimi, die aus dem bernischen Scharnachtal stamme und zusammen mit dem rotgetigerten Sohn in ihrer Familie lebe; auch einige Unterschiede zwischen männlichem und weiblichem Katzenverhalten liess sie nicht unerörtert. Er schien amüsiert zuzuhören, sprach dann davon, dass er Hasen und Singvögel aufgezogen habe, viel später Meerschweinchen, ein Meerschweinchentrio genau gesagt, aber während des Urlaubs seiner Familie sei das eine von ihnen krank geworden und er habe in der Abwesenheit von Frau und Kindern eine Injektion vorbereitet, doch habe die vorgesehene letale Dosis nicht ausgereicht, so dass er die Prozedur habe dreimal ausführen müssen, schrecklich sei das gewesen; da habe er beschlossen, nie mehr ein Tier ins Haus aufzunehmen, denn viel zu sehr hänge der Mensch seine Gefühle an ein solches Tier, und erst recht an einen Menschen, so dass man sich davon kaum wieder lösen könne.

Sie antwortete ihm, sie würde solches trotzdem wagen, auch wenn sie dabei sozusagen ihr Herz verlöre, was zwar in der Postmoderne altmodisch sei. Da schwieg er und ergriff wieder ihre Hand.

Seien Sie nicht so ängstlich, sagte sie leise, lassen Sie sich auch einmal in Besitz nehmen, es muss ja nicht gleich mit Haut und Haar sein.

Die Mahlzeit

Das Hotel Elefant rühmte sich einer nicht alltäglichen Geschichte. Vor mehr als vierhundert Jahren hatte in den Stallungen der städtischen Herberge ein indischer Elefant für vierzehn Tage Unterkunft gefunden, auch Nahrung und Pflege, deren das Tier dringend bedurfte, denn es hatte nach einer Meerfahrt den langen Weg durch die südöstlichen Lande zu Fuss bewältigen müssen und sollte nun hier, kurz vor dem Passübergang, etwas Erholung finden, bevor es die Hofmenagerie des Kaisers in der fernen Hauptstadt bereichern würde. Der Gast war während seines Aufenthalts ein sensationeller Magnet für jung und alt aus nah und fern.

In Erinnerung an das ausserordentliche Ereignis taufte der damalige Besitzer der Herberge das Haus auf den Namen «Elefant». Ein Maler wurde beauftragt, den Einzug des Wundertiers und seines Cortège al fresco an der Aussenwand des Hauses zu verewigen – «zur Freude kommender Geschlechter», wie der Hotelprospekt vermerkte, den sie sich beim Empfang besorgt hatte.

Über die mit dicken Teppichen belegten Stufen erreichten sie das erste Stockwerk, wo der Speisesaal lag, ein einladender Raum, der von einer kunstvollen Kassettendecke abgeschlossen wurde. Als sie Platz genommen hatten, erklang Musik. Sie tippte auf Monteverdi, möglicherweise auf «Il ritorno d'Ulisse», und sie begann ihn wieder zu necken: Kein Bartók für Sie, und noch weniger eine Spur von Kurtág.

Woher beziehen Sie nun wieder diese Informationen, meinte er leicht irritiert.

Pst, Ihr kleines Gedächtnis meldet sich: Sie erzählten mir von Ihrer Vorliebe, als wir vor einem Jahr zusammen das Schloss besuchten.

Wenn das so weitergeht, muss ich in meinen neuen Roman vielleicht doch ein Kapitel über Sie einbauen. Er blickte sie ernsthaft an, aber in seinen Augen zuckten übermütige Lichter.

Glauben Sie wirklich, ein einziges Kapitel über mich sei ausreichend, da ich selbst doch über Sie ein veritables Opus schreibe? Wo bleibt da die Gleichstellung von Mann und Frau?

Er lachte, wurde aber sofort wieder ernst.

Nun sagen Sie mir noch einmal (und er nannte wieder ihren Namen), wie wollen wir's zusammen halten? Wie Bruder und Schwester?

Nein, und nochmals nein, wie Mann und Frau.

Aug in Aug mit dem Taifun also?

Ja, und Ohr in Ohr mit der Musik.

Wie aber steht es mit dem Gift? Ich denke vor allem an das süsse Gift, Sie verstehen. Wir Ärzte sprechen von Intoxikationserscheinungen, die zu Gesundheitsschäden führen können. Für die Giftwirkung sind dabei nicht nur die Menge und die Form, in der das Gift zur Einwirkung gelangt, massgeblich, sondern auch der Ort der Einwirkung und der Aufnahme in den Körper. Dabei konstatiert man bei den Patienten je nachdem Überempfindlichkeit oder Giftfestigkeit.

Man müsste im ersten Fall eine Entgiftung vornehmen, schlug sie ihm vor.

Das wäre demnach Sache des Arztes, bestimmt gehen Sie darin mit mir einig, meinte er.

Ich glaube, bei der ganzen toxikologischen Diskussion haben Sie übersehen – und dies muss ich Ihnen als Sprachwissenschaftlerin sagen –, dass das Wort Gift im althochdeutschen Sprachgebrauch nichts anderes als «Gabe» bedeutet.

Ich bin geschlagen, meine Liebe. Bestellen wir das Essen, und beraten Sie mich dabei ein bisschen.

Sie schlug ihm ein Fischgericht vor, leicht und bekömmlich. Im Hintergrund klang jetzt die Musik wieder auf, ein mehrstimmiger Gesang. Er erzählte ihr, dass er am liebsten das Klavierspiel erlernt hätte, mit seinen langen Fingern hätte er unschwer Dezimen greifen können, habe aber auf Wunsch seiner Mutter die Trompete vornehmen müssen, später sei er zur Posaune hinübergewechselt, danach zur Flöte, schliesslich blieb einzig der Gesang.

Sie dachte wieder an seine Gedichte, deren melodisches Element ihr gleich zu Beginn der Lektüre aufgefallen war. Nachtgesänge – so waren ihr die Verse erschienen, und sie hatten am Beginn ihrer Geschichte gestanden. Sie waren die Einlasspforte gewesen, durch die sie in die zugeriegelte Stadt eingedrungen war.

Das Essen war vorzüglich, und er genoss es sichtlich, sagte auch, sie habe es mit der Menuwahl ausgezeichnet getroffen. Er nahm ihre Hand in seine beiden Hände und küsste sie. Ich bin sehr glücklich, sagte er, Sie haben mich aus meiner Einsamkeit herausgeholt, ja, wirklich, und ich freue mich, dass gerade ich es bin, der Ihnen zum ersten Mal dieses schöne Tal zeigen darf. Mein gelobtes Land.

Aber, und er hob leicht mit dem Finger ihr Kinn, Penelope muss wieder nach Hause fahren, Odysseus wartet dort auf sie. Ja, da staunt Penelope, dass ich die Rollen umkehre, aber ich habe meine Lektion bezüglich der Frauenemanzipation gelernt. Was mich dennoch beschäftigt, ist die Tatsache, dass diese Penelope, als sie bei den Sireneninseln vorbeischiffen muss, ihren Gefährtinnen nicht die Ohren mit Wachs verstopft, sich selbst an den Mastbaum binden lässt, um sich vor dem Zauberlied der Sirenen zu schützen.

Habe ich nicht gesagt: Ohr in Ohr mit der Musik? erinnerte sie ihn.

Königin, ich gebe mich geschlagen. Aber Sie leben gefährlich, wissen Sie das? Sie überschreiten beständig Grenzen, und wie soll das mit uns beiden noch enden?

Es soll auch gar nicht enden, lächelte sie.

Die Rückkehr

Inzwischen hatte es zu regnen begonnen. Die von den Meteorologen angekündigte Störung wurde wirksam, und der Nebel, der in der Ferne über dem Meer gelagert hatte, kroch höher und höher. Sie fuhren los.

Als sie die Passhöhe erreichten, diese grosse Wasserscheide zwischen Schwarzem und Mittelländischem Meer, packte die Frau die Vorstellung, sich mit ihm zusammen hinunterstürzen zu müssen. Aber sie verwarf dieses Bild. Es war zu todessüchtig. Dennoch legte es sich wie Gewichtsteine auf ihr Herz.

Sie sprechen seit einiger Zeit nicht mehr, sagte er.

Keine Antwort von ihrer Seite. An einen Sprachsturz dachte sie, analog zum Gehörsturz, von dem die Ohrmedizin spricht. Die Sprache einfach weg, nicht mehr verfügbar und vor allem der Situation nicht gemäss.

Die Wälder zerwühlt, aufgepeitscht vom südlichen Fallwind, der noch immer auf der anderen, der Stadt am Fluss zugewandten Seite des Passes tobte. Die Berge aber gnadenlos klar, und die Brücke der Autobahn, die sich über die Täler spannte, erschien ihr unendlich. Als werde man nie auf der anderen Seite ankommen.

Sie schwieg noch immer, brachte kein Wort heraus. Ihr war, als fiele sie aus der Welt, als verlöre sie sich selbst, lautlos zwar, aber unaufhaltsam. Der Abschied, dachte sie wie unter Zwang, das Esztergom-Syndrom. Damals hatte sie der Schmerz wie ein Erdbeben geschüttelt. Wie es diesmal sein werde, durfte sie gar nicht denken – nur daran vielleicht, dass sie inzwischen zwanzig Jahre älter geworden war. Wo waren sie in diesem Moment: Vernunft, Gefasstheit? Verschwunden über sieben Berge hinweg oder abrufbar?

Ich werde Sie entführen, sprach er in die Stille hinein.

Sie fuhr auf (das hatte gerade noch gefehlt): Und wohin soll Ihre Entführung gehen?

Das wird nicht verraten, sonst ist es keine echte Entführung mehr.

Sie zuckte zusammen. Aber hatte er nicht eben gelacht, unmerklich beinahe?

Die Stadt lag unter ihnen hingebreitet, die Schöne im späten Nachmittagslicht. Der Fluss blinkte auf, und ihr Blick drang durch ihn hindurch, grub sich ins Erdinnere, unter die Haut, wo die unterirdischen Ströme dahinflossen und gewaltig rauschen würden, wenn sie von ihm zu ihr, von ihr zu ihm zogen. Und zwischen den Armen dieser Ströme würde die Herzgruft liegen, die alles verwahrte und geheim hielt, ein Raum der inneren Stille. Denn am Anfang war die Stille, nicht das Wort, und auch am Ende würde die Stille sein.

Sie blickte den Mann neben sich an. Er schien sich völlig auf den Strassenverkehr zu konzentrieren, bei der hohen Geschwindigkeit, die man aber kaum spürte. Wie durch einen Schleier hindurch nahm sie sein Profil wahr. Ach du lieber Mensch. Noch zwei Stunden, noch eine Stunde und dann –

Er reduzierte jetzt deutlich das Fahrtempo, bog bald danach in eine Ausfallstrasse ein, welche in eine der Vorstädte führte. Er wolle hier seinen Wagen abstellen, nicht im Zentrum, wo man um diese Zeit der Rush-hour kaum einen Parkplatz finde. Danach wolle er sie in die Stadt zurückbegleiten. Tja, das sei nun die Entführung gewesen – keine dramatische, sondern eine rein praktische.

Der zweite Abschied

Vor ihnen lag eine der Brücken, die über den Fluss hinweg in die Altstadt führen. Die Stadt selbst aber ruhte wie eine Königin, eingelullt in die Dämmerung, auf den Höhen noch ein Glanz, in den Gassen bereits die Dunkelheit. Von fern drang der Lärm zu ihnen herüber, aber er war eher ein Murmeln und Raunen. Die Türme streckten sich in die Höhe, die Kuppeln wölbten sich, und unversehens hoben sie sich ab vom Boden, und die ganze Stadt begann um sie zu kreisen, riss sie, den Mann und die Frau, mit sich fort, aber wohin nur? Und sah sie nicht die Kraniche ziehen, die Baumkronen hoch oben, welch toller Wirbel im Dreiachteltakt.

Kommen Sie, wir setzen uns noch in eines der Kaffeehäuser, bevor diese schliessen, schlug er ihr vor.

Sie sass ihm gegenüber, und er musste es bemerkt haben, dass sie um ihre Fassung kämpfte.

Kein Esztergom, ich bitte Sie, meine Liebe, sagte er leise. Er nahm ihr Gesicht in seine beiden Hände und zeichnete mit dem Zeigefinger eine feine Linie von ihrem Kinn bis zum Halsansatz hinunter: Das ist der erste Schnitt, der bei einer Obduktion ausgeführt wird. Man versteht darunter in der Gerichtsmedizin die Untersuchung zur Ermittlung der Todesursache, insbesondere nach Unfällen – oder wenn Verdacht auf Vergiftungen und Fremdverschulden besteht.

In diesem Moment musste sie lächeln: Ja, das süsse Gift.

Sie lächeln, das gefällt mir schon besser, sagte er und erklärte, auf der Tischplatte dahinfahrend, das weitere Vorgehen:

Der Schnitt wird vom Halsansatz in einer geraden, sauberen Linie nach unten geführt, links am Nabel vorbei, links – das ist ganz wichtig, um die obliterierte vena umbilicalis nicht anzuschneiden, bis zur regio pubica. Danach kann aufgeklappt werden. Die einzelnen Organe werden herausgeholt und auf Verletzungen und Vergiftungen hin überprüft, in erster Linie das Herz. Dabei wird die Eröffnung der Herzinnenräume mit dem Herzmesser durchgeführt, nur so gewinnt man eine übersichtliche Darstellung der Ein- und Ausströmungsabschnitte beider Kammern. Man macht zwei marginale und zwei septale Schnitte. Rechts neben der Herzspitze wird eingestochen und der rechten Kammer entlang – dann aber Magen und Rectum, nicht zu vergessen der Uterus, ebenso Leber und Nieren: alle werden einzeln in Gefässe mit konservierender Flüssigkeit gelegt und versiegelt, um sie später histologisch untersuchen zu können. Danach wird der Leichnam wieder säuberlich zugenäht.

Er führte diesen Stich auf der Tischplatte vor. Sie zwang sich genau hinzusehen, um nicht herausschreien zu müssen.

Die Schädelobduktion ist einfach, fuhr er weiter. Man zieht die Kopfhaut vom Nackenansatz her über den Schädel und beginnt danach zu bohren. Dafür gibt es verschiedene Instrumente. Dann die Rückenmarksobduktion –

Schluss jetzt, brach es aus ihr heraus. Die Gäste an den übrigen Tischen blickten sich nach ihr um. Ist das Ihre Art, Gutenacht-Geschichten zu erzählen, wenn es um den Abschied geht?

Sie fühlte sich mitten in diesem gutbesuchten Kaffeehaus entsetzlich allein. Kontinente, Weltmeere, Eisberge schienen zwischen ihr und ihm zu liegen. Weit war es von einem Mann zu einer Frau, unendlich weit. Und beide einander ein immerwährendes Rätsel.

Nein, ich will Sie nur in die Wirklichkeit zurückholen, als der Arzt Ihres Herzens, wenn Sie mir diese Anmerkung gestatten. Meine Obduktionsgeschichten sind nichts anderes als eine Art Therapeutikum.

Welch arktische Tröstung, spottete sie.

Zugegeben, ich habe Ihnen eine Pferdekur verordnet, aber – und er blickte sie an (diesmal voller Güte) – Sie müssen von der ruinösen Illusionsarchitektur wieder loskommen, da ist kein Halten, Sie müssen wieder Boden unter den Füssen gewinnen, Erde. Sie und ich, wir sind beide Luftmenschen, für Traumspiele besser ausgerüstet als für die Reality-Show.

Ich verstehe. Sie meinen, wir müssen wieder in den Alltag zurückfinden, ins ganz gewöhnliche Leben, nicht wahr?

So ist es. Ich meinerseits werde wieder zu meinen Texten zurückkehren, auch die Lektüre der Russen erneut vornehmen, vielleicht die Achmatowa oder warum nicht den Gontscharow? Sein «Oblomow» wird mich jedoch nicht daran hindern, den Mahnbrief an den Verlag zu schreiben, der mir noch immer die Honorare schuldet. Und Sie?

Sie schluckte.

Natürlich die Archiv-Reportage. Danach muss ich nochmals meinen Vortrag über die Philosophin durchsehen.

Sehen Sie, so sorgen die steten Aufgaben für eine gewisse Ordnung. Der Mensch ist eine sehr gefährdete Spezies, und nun gar, wenn er mit einer dünnen lieben Haut ausgestattet ist.

Er blickte sie lange an. Sie wissen ja nicht, wie ich zusammenfallen werde, sobald Sie wieder aus der Stadt am Fluss abgereist sind. Alles geht dann wieder da capo los, wie bei einem Musikstück, das ganze Furioso von vorn, und erst die Tristitia . . . Dennoch, meine Liebe, ich bin sehr, sehr glücklich, wir beide wollen glücklich sein, und daran wollen wir uns halten.

Es klang wie eine Beschwörung, gesprochen aus jenem Reich, das sich ihr bald entziehen würde.

Machen wir es uns nicht zu schwer, sprach die Stimme nochmals, machen wir es uns leicht.

Unerträglich leicht, flüsterte sie.

Fast unmerklich schüttelte er den Kopf.

Da legte sie ihre Hand auf seine Hand und meinte: Gleichwohl möchte ich es Ihnen jetzt unbedingt sagen –

Was denn?

Dass ich Sie –

Pst, er legte den Finger auf ihren Mund, kein Wort weiter, das Verschwiegene zählt mehr als das Ausgesprochene.

Sie traten aus dem Kaffeehaus. Was hatte sie überhaupt getrunken, was hatte er getrunken? Keine Ahnung. Nur dieses rasende Herz in der Mitte ihres Bewusstseins.

Ob es nicht ein Verlieren gebe, um zu gewinnen? fragte er sie, während sie unter den Arkaden standen. Aber letztlich sei es doch einfach das reine Glück, dass ihre Lebensbahnen einander berührt hätten.

Er nahm nochmals ihr Gesicht in seine beiden Hände und küsste sie. Ich gehe jetzt, sprach die Stimme, komme nicht mehr zurück, nicht ins Hotel, nicht an den Bahnhof, wie Sie vielleicht glauben möchten. Leben Sie wohl, geliebte Frau.

Danach verschwand er, von den Arkaden wie verschluckt.

Sie ging die Schritte bis zum Hoteleingang, als ob sie über eine dünne Eisdecke im arktischen Meer ginge, die jederzeit einbrechen konnte. Haltung, sprach sie zu sich selbst, ich bitte dich, meine Liebe, kein Esztergom.

Leise schloss sie die Tür hinter sich zu. In der Eingangshalle tickte die Uhr, unbarmherzig hämmerte sie in die Stille hinein. Du warst nicht aufzuhalten, liebe Zeit, sagte sie zum Uhrwerk, und noch weniger zurückzudrehen, auch wenn ich glaubte, ich sei aus dir herausgefallen, um einzig dem Traum anzugehören. Meinem Traumspiel.

IV

St. Petersburger Schlittenfahrt – ein Traumspiel

Ein später Novembernachmittag wie in der Stadt am Fluss, aber dort, wo sie einst «daheim» gesagt hat. Vielleicht schon über fünf Uhr hinaus, auf dem Tisch noch das Teeservice, und Mama sitzt am Klavier, einem Jugendstilmöbel, das der Fachhändler viel später günstig eingeschätzt haben wird, nicht wegen seiner klanglichen Qualitäten, das beileibe nicht, sondern dank seiner Ornamente. Sass Mama allein am Klavier? Übte sie wohl die Unterstimme zu einem der vierhändigen Salonstücke aus den Wiener und Leipziger Musikhäusern? Oder sass eine der beiden Töchter neben ihr, der Oberstimme zugeordnet? Was spielen wir heute, schien Mama zu fragen: Veilchen aus Abbazia, Ich hab mein Herz in Heidelberg verloren, oder Donauwellen? Nein, Mama, es gab nur die eine Möglichkeit, denn draussen im Garten lag bereits der Schnee, der hatte die Lärche, die Rottannen und Birken eingekleidet; auf den barocken Balustraden lagerte er, und den Löwen, die den Abschluss bildeten, hatte er eine Mütze auf den Kopf gesetzt. Nein, Mama, wie kannst du nur fragen, natürlich spielen wir heute die «St. Petersburger Schlittenfahrt». Und Mama setzte sich mit uns in den Schlitten, die Pferde sprangen an, die Schellen begannen zu klingeln, und wir sausten durch den Sommergarten Peters des Grossen, der jetzt unter dem Schnee dahinschlief, hinunter zum Taurien-Park und weiter auf das Smolnyi-Kloster zu, blau und weiss leuchtete es uns entgegen, wir lachten und fielen fast aus dem Schlitten, und die Pferde wieherten –

Was ist nur in Euch gefahren, der Rhythmus

stimmt überhaupt nicht. Es ist ein Viervierteltakt, aber Ihr spielt das wie Sechzehntel. Papa stand unter der Tür, die Brille war ihm halb auf die Nase hinuntergerutscht. Tam-ta-ta-ta, tam-ta-ta-ta. Nochmals das Ganze von vorn, und mit mehr Regelmässigkeit, meine sehr verehrten Damen.

Einverstanden, Papa, willst du dir's nochmals anhören?

Keine Zeit, der Leitartikel über Chruschtschow und die Tauwetterperiode muss zu Ende geschrieben werden, in einer Stunde ist Redaktionsschluss.

Tauwetter? Habt Ihr's gehört? Wir mussten uns beeilen, sonst schmolz uns der Schnee unter dem Schlitten weg, das Eis brach ein, trieb in grossen Schollen die Newa hinunter, und die letzten Eis-Angler zogen fort.

Ich aber fuhr über die Kirow-Brücke und sah sie abwärtsgleiten, die Eisschollen; sie knirschten, wenn sie aneinanderstiessen, und wohin sollten sie treiben: die Grosse oder die Kleine Newa hinunter? An der Strelka schieden sie sich, die einen rechts, die andern links, dem Meer entgegen, das sie weit draussen vor der Stadt empfing, aber wie sie glänzten in der untergehenden Sonne, wie überhaupt Türme und Kuppeln in einer stummen Musik aufjauchzten, eingetaucht ins Licht –

Dies alles hatte ich doch schon einmal gesehen, im Traum erblickt vor vielen Jahren und nie gewusst, welchen Namen diese Stadt trug – östlich musste sie liegen, diese Stadt –, welche sich nun auch noch langsam vom Boden abhob, aus den Verankerungen löste und im Uhrzeigersinn zu drehen begann, majestätisch schwebte sie an mir vorbei, zog durch die Himmelsräume, immer weiter, weiter –

So hatte die Stadt also einen Namen, St. Petersburg hiess sie, und alles hatte einen Namen, so auch der Mann, dessen Gestalt sich aus dem dahintreibenden Eis gelöst hatte. Ich komme aus arktischen Einsamkeiten, sagte er, bin den Umgang mit Menschen nicht mehr gewohnt, warum nur haben Sie mich bei meinem Namen gerufen, spät zwar, die Schöpfungstage längst vorbei, aber vernehmlich? Nicht ich habe Sie gerufen, erwidere ich verwundert, Sie selbst waren es, lange ist das her, reicht bis in die Wurzelgründe meiner Kindheit hinab. Da sah ich Sie als Höhlenforscher, auf Polarexpeditionen und bei Besteigungen schwieriger Gipfel. Wie besessen las ich in meinen Büchern: vom Biwak in Eis und Schnee auf dreitausendfünfhundert Metern Höhe, vom Hinterstoisser-Quergang und der Weissen Spinne an der Nordwand, und die Männer, die sich in diese Regionen wagten, sahen so aus wie Sie, sprachen wenig, hatten eine Haut, die der Sonne und dem peitschenden Eisregen ausgesetzt worden war. Männer wie Gebirge, wilde Männer, dachte das Kind, ganz anders als der Vater mit seiner weichen Gestalt, der das Herz auf der Zunge trug, wie seine Freunde sagten, der nicht selten seine Rührung zeigte, wenn etwa im Rundfunk die Beerdigungsfeierlichkeit für einen Bundesrat übertragen wurde, und der auch als Tröster der Witwen und Waisen galt (so hatte es Mama formuliert, lächelnd und souverän). Nun aber ein kantiger Mann, das Urbild eines so ganz anderen Mannes, der da auf sie zutrat, hager und scheinbar abweisend. Aber er kam sehr sachte näher. Sie liebte ihn gleich. Doch sie sagte es ihm nicht.

Warum nicht?

Mit Gefühlen konnte man sich täuschen, Einbildungen waren es vielleicht – mehr nicht –, die gleich zersprangen. Dennoch sprach der Körper eine deutliche Sprache. Hormone, Blutbahnen und Herzmuskel äusserten sich ganz unverstellt. Alles in ihr flog diesem Mann zu. Manchmal kniff sie sich in den Arm, um zu prüfen, ob es nicht ein blosser Traum sei. Aber der Mann hatte nicht nur ihr Herz, sondern auch Nacht und Tag, die ganze Zeit derart ausgefüllt, dass sie ihm nicht entkam und sich ohne ihn nichts mehr denken liess.

Du solltest Dich nicht derart an einen Menschen hängen.

Still, wer spricht denn da? Wer spricht in meinen Traum herein, hier in der Stadt am Fluss? Bist du's, Mama? Ich würde dir diesen Einwand zutrauen. Stets warst du vernünftig, massvoll, die echte Tochter einer Handwerkersfamilie, die seit drei Generationen genau Mass genommen hatte, damit die Kunden mit den Schreinerarbeiten zufrieden waren. Aber deine Töchter: das pure Gegenteil. Voller Überschwang, Freude und Schmerz preisgegeben. Daher lud ich diesen Mann gleich zu einer Schlittenfahrt ein, wieder durch St. Petersburg. Jaja, ich weiss, Schlittenfahrten können gefährlich sein. Man kann sich danach wie Effi fühlen, die von ihrem Geliebten, dem Major Crampas, jene Briefe erhielt, die sie im Nähtisch verwahrte, mit einem roten Band umschlungen, aber natürlich fielen sie Instetten nach sieben Jahren durch einen dummen Zufall unter die Augen, dann die Sache mit der Ehre, das Duell, Effi aus dem Haus gewiesen und das Kind mit Absicht der Mutter entfremdet. Keine Briefe, keine Spuren, sagte daher der Mann, der aus der Eiswüste auf sie zugetreten war, und wozu auch, ich bin in dir. Denn während der Schlittenfahrt hatte die eine Hand die andere gefunden, gleich war das Feuer ausgebrochen, ein flächendeckender Brand war es, und nun gar der Kuss, dieser Tanz der Lippen. Aber darüber sollte nicht geredet werden, so wenig wie der Name genannt werden würde, der Name des Mannes. Diese Liebe sollte dem Geheimnis angehören, der Nacht, dem Wald. Der Mann erfand Wälder für sie, draussen vor der Stadt, die sich dicht um sie schlossen, wie eine schützende Umarmung. Und es sollte auch nicht über die Stimme dieses Mannes geredet werden, nicht über seine unsagbare Zartheit. Grenzen wurden gezogen, und Lieder hätte man erst hinter diesen Grenzen singen können.

Ja, ich habe mich ausgeliefert, Mama, gefährlich war's, auf Leben und Tod ging's, auf schwankendem Grund. Aber der Mann sagte: Nicht ausliefern, nicht dies – sondern öffnen. Erst da habe ich verstanden, was Hingabe bedeutet – Hingabe ist ein grosses Abenteuer und hat mit Vertrauen und Freiheit zu tun. Ja, es ist ein Akt weiblicher Freiheit.

Was sprichst du da?

Es bleibt dabei, Mama, auch wenn dir alles fremd erscheinen mag, was ich sage (sind Kinder nicht manchmal für ihre Mütter Fremdlinge?). Denn es gibt jenen anderen Zustand, bei dem die herkömmlichen Übereinkünfte nichts mehr gelten. Man ist seinem eigenen Mass, wenn es denn überhaupt eines sein soll, auf der Spur. In meinem Fall war es sogar das Übermass, an dem ich Mass genommen habe. Es war *der* Grenzübergang meines Lebens, Mama, und es schwindelte mir dabei.

Vielleicht warst du selber schuld.

Schuld, nicht Schuld – ich kann die Worte nicht mehr hören. Engbrüstig sind sie, vermögen diese ver-rückte Wirklichkeit gar nicht zu fassen. Hätte ich denn ja oder nein sagen können?

Kind, Kind. Aber hat man denn bei diesem Grenzübertritt, so nanntest du es, nicht wahr, einen Zoll verlangt?

Und wie. Angst, Tränen, Sehnsucht. Ich seh', du ziehst die Stirne kraus, Mama. Pathos hast du nie gemocht, zeigtest dich dann schnell von deiner skeptischen Seite. Trotz allem: Sehnsucht nach diesem Mann, der sich immer wieder in die Eiswüste zurückziehen musste. Du kennst sie nicht, diese Sehnsucht, Mama, du weisst nicht, was ich gelitten habe. Fast beneide ich dich um deine wohltemperierte Klaviatur.

Sei nicht ungerecht.

Du denkst an die Jahre nach Papas Tod? Ja, da wütete der Schmerz in dir, aber du hast ihn in dir eingeschlossen, wie in einer Schatulle, und nach aussen hin wirktest du gefasst. Dennoch hast du damals wahrscheinlich kaum mehr gewusst, wie das Leben fortan zu buchstabieren sei, ob du nicht alles von neuem erlernen müssest, und wie mühsam würde das sein, das Erlernen eines neuen Alphabets! Eine Jüdin, die sich mit dem Schmerz auskannte, meinte einmal, ob du dich nicht vielleicht in die Demenz geflüchtet habest, um diesem schwierigen Leben zu entkommen. Verzeih, was hätte ich auf diese Äusserung hin sagen sollen? Ich hab geschwiegen. Und nun kommst du mir auf dem Flur entgegen, von der Schwester, die dich betreut, sorgsam gehalten, und beide singt ihr «O Tannenbaum, o Tannenbaum, wie grün sind deine Blätter . . .» Ich will dich grüssen, Mama, aber du gehst an mir vorbei, scheinst mich nicht zu beachten. «Du blühst nicht nur zur Sommerszeit, nein auch im Winter, wenn es schneit . . .» Mama, hörst du mich denn nicht?

Nicht erst in diesem Moment habe ich gespürt, dass mein Leben in anderen Bahnen als zuvor weiterlief, abgenabelt von den deinen. Schon damals spürte ich es unwiderruflich, als ich mich mit dem Mann zusammen in den Schlitten setzte: Jetzt geschieht etwas, das alles verrückt, und deine Welt wird nicht mehr die von gestern sein. Das Leben greift nach dir, dieser Mann, der dich anrührt, und du lässt dich von ihm ergreifen, lässt es zu, bettest dich in seinen Atem, während eure Seelen kochen. Der Mann sagt, dass er in deiner Gegenwart seine Jahre verliert, sie purzeln einfach so an ihm herunter, und du selbst glaubst das ohne weiteres, denn auch in deinen Träumen siehst du ihn immer weitaus jünger, und so wirkst du energisch mit, wenn die Jahre weggezaubert, weggehext werden sollen. Waschebnitza, sagt der Mann, Zauberin. Du lässt es dir gefallen, Zauberinnen sind zärtlich, weise, schön. Doch du glaubst auch, dass diese Schönheit erst während der Schlittenfahrt so richtig erweckt wird. Zwar will eine trockene Kälte nach dir und dem Mann greifen, aber die Felle decken euch warm zu, Rentierfelle aus dem nahen Finnland sind es, zart glänzend, immer wieder streichen die Hände darüber, schön ist das, und der Mann spricht beschwörend, leise spricht er, Zaubersprüche sind es, Orpheus' melodische Sätze, die schönsten Sätze der Welt, aber alle aus dem Reich der Schatten stammend.

Wie hungert sie nach diesen Sätzen, wie schrecklich bedürftig, ja süchtig ist sie danach geworden. Ein Tag ohne diese Sätze ist eine Ewigkeit, eine graue Ewigkeit, aber nicht nur für sie, auch für ihn. Du bist eine einzige ansteckende Krankheit, sagt der Mann zu ihr, arg ist es, sehr arg. Argarg, lacht sie ins Telefon hinein, hält die Muschel in der Hand und streicht darüber, als liege in diesem Gehäuse der Telecom eine Perle verborgen. Hast du mich lieb? fragt sie. Nein, antwortet der Mann brüsk, das ist mir viel zu wenig. Ich liebe dich wie verrückt.

Einmal, als ihr Schlitten vor dem Witebsker Bahnhof gerade wegfahren wollte und er sich wieder in sein Eisland zurückbegab, rief er ihr noch nach: Ich liebe dich wahnsinnig. Wie im Taumel reiste sie von ihm fort, der Grenze entgegen, und der Beamte betrachtete lange ihr Passbild, blickte sie an und sagte: Ein schönes Bild, eine schöne Frau, tragen Sie Sorge zu sich. – Natürlich ist das alles geschwindelt, von der russischen Sprache hätte sie kein Wort verstanden, ausser njet und nitschewo, und die Szene hatte sich denn auch an einer Grenze abgespielt, wo sie die Worte verstand. Nitschewo, macht nichts, Grenzen sind Grenzen, Entfernungen sind Entfernungen, und warum lebten sie in dieser Distanz voneinander, warum konnten sie nicht beisammen sein?

Was für Probleme du nur immer hast. Als wir jung waren, nahmen wir die Tage, wie sie kamen, einen um den anderen, ich begreife dich nicht.

Schon wieder du, Mama? Schon wieder in meinem Zimmer, mitten in der schlafenden Stadt am Fluss? Ich bin anders als du, Mama, und jung bin ich auch nicht mehr. Die Heftigkeit der Gefühle nimmt mit fortschreitendem Alter nicht ab, lass es dir gesagt sein, sie nimmt zu, und die Gelassenheit der älteren Jahre ist ein Schwindel. Was weiss man schon über das Älterwerden, diesen unbekannten Kontinent? Dennoch sagt der Mann, es sei leichter, älter zu werden, als durch die Jahre der Jugend zu gehen. Und – es sei schwierig, eine Frau zu werden.

Woher soll er das nun wissen, meine Liebe? Was weiss ein Mann schon von einer Frau –

Das frage ich mich auch. Die Frau ist ein unbekanntes Wesen, aber der Mann ist es auch, Mama. Was wissen wir schon vom Mann, geschweige *den* Männern? Immer hat man uns die Differenzen zwischen den Geschlechtern eingeredet; natürlich sind sie vorhanden und oft sind sie quälend, aber unversehens können die Schranken auch fallen, ich fliege dem Mann entgegen und er fliegt mir zu, was für ein Kuss ist das, einer für die Ewigkeit. Vielleicht kommen wir nie mehr von diesem Schlitten los, zumal ich weiss: Er fühlt wie ich, er wird von der gleichen Sehnsucht vorangetrieben, von den gleichen Ängsten zernagt, und ich sage zu ihm, dass wir unsere Ängste und Sehnsüchte zueinander legen wollen, da werden sie für immer beisammen ruhen. Dennoch – warum weiss er dies alles von den Frauen? Zwar fragt er mich immer wieder, als ob er nichts wüsste, nur ahnte, was mit Menstruation, erster Liebe, Geburt und Menopause zusammenhängen mag, an Stimmungen, Zäsuren, Veränderungen, weisst du. Ich versuche zu antworten, so gut ich es kann, und er hört mit angespannter Aufmerksamkeit zu, kein Mann hat mir jemals so zugehört wie er, vielleicht rührt es auch daher, dass er als Einzelkind aufgewachsen ist, ohne Schwestern, die Mutter häufig abwesend, allein also in jenem Glockenhaus auf der Wyborger Seite, im Norden der Stadt, und da hat er sich selbst Geschichten erzählt, abends, wenn er allein war und nicht einschlafen konnte, weil niemand ihn zugedeckt hat.

Deck mich zu, hat er sie einmal gebeten, als sie abends im Schlitten sassen und das Gefährt, von einem Rappen und einem Schimmel gezogen, der Fontanka entlangfuhr. Deck mich zu. Die Bitte hat sie gerührt wie nichts zuvor, und sachte zieht sie das Rentierfell hoch und breitet es über ihn. Elfenbein- und karamellfarben schimmert es im Mondlicht. Du bist mir alles, flüstert er, Mutter, Schwester, Freundin. Still, schlaf jetzt, Liebster, es wird Nacht über St. Petersburg. Man wird die Brücken über der Newa hochziehen, damit die grossen Frachtschiffe passieren können, und wir werden daher heute nacht nicht mehr auf die Petrograder Seite zurückkehren können. Findest du das so schlimm, Zauberin? fragt der Mann und schlummert an ihrer Seite ein. Sie hört seine Atemzüge, streicht über sein blondes, feines

Haar. Und ist dies nun das Glück, mitten in einer zerbrechlichen Welt?

Im Glockenhaus hatte ihn die Mutter zur Welt gebracht. Es war eine schwere Geburt gewesen, eine Querlage, und man hatte ihre Schreie weithin gehört, bis zur Litejnij-Brücke hinunter. Danach wollte sie kein weiteres Kind mehr. Ein Trauma, stellte der Vorsteher der Poliklinik fest, erzwingen lässt sich nichts, nur verhüten, sagte er mehr zu sich selbst. Und die Mutter vergnügte sich von nun an, besuchte nachmittags ihre Freundinnen in der Nachbarschaft, schlenderte mit ihnen den Newskij-Prospekt hinunter, verweilte vielleicht bei Jelisejew, um seine Delikatessen im Erdgeschoss zu bewundern, abends dann ins Komödien-Theater oder ins Ballett. Der Knabe allein, früh ein trauriges Kind. Mach dir eine Tasse Tee, hatte die Mutter beim Weggehen gesagt, der Samowar brodelt noch. Und da standen auf dem Tisch im Salon auch die blauweissen Tassen mit dem Goldrand aus der Lomonossov-Manufaktur, drei an der Zahl, mit dem Kobalt-Netz überzogen, in dem sich die Träume des Knaben fingen. Die Mutter hatte ihm erzählt, dass dieses Dessin bereits im achtzehnten Jahrhundert für die Zarin Elisabeth entworfen worden war, und die Zarin habe daraus getrunken, danach all die Reichen und Mächtigen, und nun auch er, der Knabe auf der Wyborger Seite, während das Thermometer sank und sank. Man spürt wieder einmal, dass wir auf dem gleichen Breitengrad wie die Südküste Grönlands liegen und der Nördliche Polarkreis nah ist, meinte der Vater, wenn die Kälte an die Stadt heranrückte wie ein feindliches Heer. Sie macht aus uns noch ein Volk von Arktisfahrern und Polarforschern, fügte er leichthin bei.

Nun aber noch Mitte August diese Schwüle, nicht nur drinnen in der Stadt, sondern auch draussen, etwa in Zarskoje Selo, von den Reiseführern als Puschkin vermerkt. Leisetretend tappte sie mit den übrigen Gruppenteilnehmern durch die Säle von Katharinas Landhaus, an den Füssen die vorgeschriebenen Filzpantoffeln, während Nina die Palastarchitektur erklärte, die Symphonie in Weiss, Gold und Blau; darüber ein vorherbstlich klarer Himmel und im Park die Birken, der See, die Pavillons, das weiche Gras der Rasenteppiche unter den Füssen. Kühl und samten fühlte sich dieses Gras an, und lange hätte sie darauf stehen mögen, aber Nina rief sie in die Warteschlange zurück, und so zuckelte sie mit den anderen langsam voran, durch Rastrellis Reich mit seinen Treppen und Enfiladen, um in die einzelnen Salons eingelassen zu werden, die alle einen eigenen Namen trugen: das Bernsteinzimmer, der Lyoner Salon, das Arabeskenzimmer, die Gemäldegalerie. Neben Peter dem Grossen und Katharina der Ersten, den Eltern, hing auch die Tochter, Elisabeth Petrowna, die spätere Zarin, welche mit ihren Günstlingen aus den beinahe durchsichtigen Tassen mit dem Kobalt-Netz getrunken hatte. Selbstbewusst, erhobenen Hauptes, blickte sie von der Höhe herunter, eine Imperatorin vom Scheitel bis zur Sohle. Nina erzählte, dass Elisabeth mit ihrem Günstling Aleksej Rasumowski in heimlicher Ehe gelebt habe, eine Frau mit zwei, drei Männern vielleicht, und gerne hätte sie diese Zarin gefragt, wie sie damit zurechtgekommen sei, mit einer Lebenskonstellation, die man allenfalls Männern, nie aber Frauen zubilligte. Haben Sie sich souverän darüber hinweggesetzt, Elisabeth Petrowna, oder haben Sie gelitten? Waren Sie eine Tochter des Rokokozeitalters, welches die elegante Tändelei liebte und es darin zu virtuoser Meisterschaft brachte, oder verabscheuten Sie diese nobeln Frivolitäten? Waren Sie leichten Sinnes – so wie es Crampas seiner Effi geraten hat («wir müssen es leicht nehmen, sonst sind wir arm und verloren . . .»), oder rechneten Sie sich zu den Schwermütigen Ihres Jahrhunderts? Man kann dem Abenteuer Liebe auf vielfältige Weise begegnen, Elisabeth Petrowna, man kann sich daran ergötzen und wie in Traumspielen wandeln, aber man kann auch daran zerbrechen und sich überlegen, ob man dem Leben und damit all den Verwirrungen nicht ein Ende setzen solle.

Zum Beispiel frühmorgens vor der Ankunft in St. Petersburg, wenn all die Passagiere des Schiffes noch in den Kabinen schlafen, sie allein auf Deck acht, nicht einmal der Schiffsarzt gegenwärtig, der sonst immer bereits um fünf Uhr die Länge des Dampfers, hundertneunundachtzig Meter, abmarschiert. Und sie beugte sich über die Reling, während das Schiff, vom Lotsen begleitet, der eben aus dem Pilot-Boot zugestiegen war, mit verminderter Geschwindigkeit dahinfuhr. Eine abscheuliche Tiefe war das, ein Schrei würde durch die Luft gellen, ihr Schrei, und der Körper aufklatschen. Warum ich mich so ängstige? hatte der Mann in einem Brief gefragt, der sie erst nach ihrer Rückkehr erreichte. Auf einer Schiffsreise nach St. Petersburg starb einer meiner Freunde an einem Herzinfarkt. Nein, sie hatte beschlossen, nicht unterzugehen, aus dieser Geschichte wollte sie wieder emportauchen, nicht unbeschädigt zwar, denn das Lebensporzellan hatte Risse erhalten. Aber auf keinen Fall ein Untergang. Der Mann hatte in jenen Tagen, das hatte sie erst hinterher aus seinem Brief erfahren, Extrasystolen verspürt und sich dreimal niedersetzen müssen, um nicht umzufallen. Wieder eine seiner lexikalischen Krankheiten, so nannte sie seine gesundheitlichen Störungen, denn immer verwendete er Begriffe, die sie nicht auf Anhieb verstand und daher in den Lexika nachschlagen musste. Unregelmässige Zusammenziehung des Herzmuskels, las sie, eine vorzeitig einsetzende Reizbildung, die in jedem Alter vorkomme, besonders aber nach dem vierzigsten Lebensjahr. Er hatte es gespürt, hatte mitgelitten, und wieder einmal waren all die Differenzen zwischen Mann und Frau verbannt. Kostbar erschien ihr da seine Angst, kostbar das Leben und – NEIN, schrie sie da in sich hinein, nie mehr diese Krankheit zum Tode.

Die Freundin hatte ihr zu häufigeren Schlittenfahrten geraten, um der Sehnsucht, diesem wilden Tier, besser beizukommen. Fahr öfters hin, meinte sie, damit die Abstände kürzer werden zwischen dem Sehen und dem Wiedersehen. Das Rezept erschien ihr vorerst verführerisch, um eben dieses Tier zu zähmen, aber der Mann fiel in einen Männerhohn zurück, als er davon hörte, und er sprach von Damengesprächen über das Verzehren, als ob es sich um die Teerunde der Herzogin X handle. Nein, Zauberin, das nicht, das kühlt die Sehnsucht ab, und was bleibt danach zurück? Weniger als in einer ausgelaugten Ehe. Lass es brennen.

Hart klang das in ihren Ohren, aber je mehr sie darüber nachdachte, desto mehr musste sie ihm recht geben. So liess sie es brennen und brennen. Bald einmal glaubte sie, jeder sehe diesen Brand, spüre die Hitze. Bald einmal sprach immer wieder einer von St. Petersburg zu ihr, erzählte, dass er dort einige Semester an der Akademie der Künste oder an der Staatlichen Shdanow-Universität studiert habe, ein anderer gar, dass er einen Forschungsauftrag im Institut für Arktis und Antarktis übernommen habe, ausgerechnet in jenem Institut, das sie am meisten interessiert hätte, da es wissenschaftliche Daten und Fakten zu den Eisländern des Mannes sammelte. Jedermann schien sie mit seinen Reminiszenzen an

St. Petersburg gleichsam zu narren und auf die Probe zu stellen, ob sie sich verrate und von den Schlittenfahrten erzähle. Sie tat beiläufig, auch wenn ihr Herz glühte, hörte sich selbst zu, wie sie vom Stroganow-Palais berichtete, das eben restauriert worden sei, aber auch von den Mühen des Alltags in dieser Stadt, noch immer, auch und erst recht nach der Wende. Von der St. Petersburger Mafia. Doch war diese Gelassenheit nichts als ein dünnes Seidenpapier, dahinter konnten gleich die Tränen lauern, konnten die zarte Wand durchbrechen, und wie hätte sie dann dagestanden. Manchmal genügte der geringste Reiz, um diese Tränen aus dem Hinterhalt zu locken. Es musste einer vielleicht nur die Piroggen und Blinys erwähnen, das glühende Laub des Oktobers rühmen, das wie Pfingstfeuer brenne, oder die weissen Juninächte herbeizaubern, schon war's um sie geschehen.

Dabei suchte sie andrerseits geradezu solch gefährliche Gelegenheiten, sprach von St. Petersburg, indem sie so und so viele Ansichten der Stadt entwickelte: Da gab es das literarische St. Petersburg, welches sich ihr dringlich in den Vordergrund schob, so dass ihr immer wieder Dostojewskij, Gogol, Puschkin, Brodsky, die Achmatowa und natürlich Gontscharow mit seinem bis mittags schlafenden Oblomow einfielen, die in ihren Werken allesamt der Stadt zu einem leidenschaftlichen Eigenleben verholfen hatten, abgehoben von jenem anderen Leben, das öd und grau dahinfloss, schon damals. Ereignislos war es, ohne jede Passion, die sich längst in die Bücher geflüchtet hatte und hier ihre Vulkane entlud, träge auch, weil man aus den Klauen der Armut nie mehr loskam. Davon hatten wiederum die Figuren, die das zaristische St. Petersburg, diese feudale Ansicht der Stadt, bewohnten, nicht die geringste Ahnung; Bildung konnten sie allein schon deswegen nicht allen

Bevölkerungsschichten gönnen, weil die Ärmsten unter ihnen jäh zu Wissenden geworden wären, und es hätte noch mehr Blutsonntage, noch mehr Oktoberrevolutionen gegeben.

Eine Stadt, nicht zu fassen, nicht zu erklären, auch nicht in so und so vielen Bildern, dafür eingeschlossen in den Schmerz, über den man eine Decke hätte breiten müssen. Und es war diese geschundene Stadt, die sie traf, diese Stadt, deren Haut von Schüssen zerfetzt war. Aufstände, Blockaden und Hungerwinter hatten sie zu Tode erschöpft. Pockennarbig waren die Fassaden ihrer Häuser nach dem «Grossen Vaterländischen Krieg» gewesen, Granatsplitter und Artilleriegeschosse hatten sie durchbohrt. Die Wohnungen aber gähnten: Kaum ein Stuhl, ein Bett war vorhanden, weil die Eisenöfen während der neunhundert Tage Besetzung alles aufgezehrt hatten, was aus Holz und brennbar war. Da lag sie, diese Stadt, und da liegt sie noch immer –

Wie eben jetzt diese siebzig- oder achtzigjährige Frau, quer über dem Gehsteig, während der Reisebus der Moika entlangfährt. Es ist eine Frau mit schütterem Haar, das Kopftuch halb weggerutscht, an den Beinen trotz des schwülen Augustwetters wollene Strümpfe, und keiner kümmert sich um sie, jeder strebt weiter, mit gläsernem Blick, lässt die Frau liegen. Aber wie lange nur liegt sie schon, vielleicht verhungert, vielleicht verdurstet, und die beiden Männer, schwarze Sonnenbrille und modisches Haarstyling, brausen im Mercedes vorüber, Time is money, die Mafia lässt grüssen.

Ausgesetzt hat man diese Frau, und keiner hat sie zugedeckt. Was ist dagegen ihr eigenes Ausgesetztsein? Einmal hat sie deswegen sehr mit ihrer Mutter gehadert, damals, als sie bei der Durchsicht der Familiendokumente, einige Zeit nach der Räumung der elterlichen Wohnung, auf jene Rechnung stiess: Unter Folio 1710 «Verpflegungskosten für vierzig Tage Aufenthalt von Bébé (und dann kam ihr Name) im Spital zu S.», samt Krisenzuschlag von zwanzig Prozent in diesen Jahren nach dem Krieg. Mama hatte ihr schon viel früher einmal erzählt, dass sie das Töchterchen zehn Wochen nach der Geburt ins Spital gegeben habe, zur Pflege, weil sie selbst vom schwerkranken Grossvater beansprucht worden sei. Die Schwestern hätten Freude gehabt, solch ein gesundes und bereits fortgeschrittenes Bébé zu betreuen. Warum hast du mich weggegeben? hatte schon das Mädchen gefragt. Eben habe ich es dir erklärt, warum fragst du schon wieder? sagte die Mutter, nun etwas unwirsch; der Vater, dein Grossvater, war damals, nach Kriegsende, schwer herzkrank, es ging dem Ende entgegen, und ich musste als Hilfe einspringen. Später rebellierte die Tochter noch stärker: Hör einmal, Mama, es hätte Pflegerinnen gegeben, und die Grossmama war damals noch keine so alte Frau, dass sie nicht die Pflege hätte übernehmen können. Mama sagte nichts darauf, sondern schien nur den Mund zu verschliessen; ganz dünn wurden ihre Lippen. Als sie selbst eine Tochter zur Welt gebracht hatte, kam ihr die Geschichte wieder in den Sinn; es erschien ihr jetzt noch unbegreiflicher, dass die eigene Mutter ein unlängst geborenes Kind hatte weggeben können, wo sie selbst das Töchterchen immer wieder an sich drücken wollte, um den Duft seiner Haut einzusaugen.

Mama, warum hast du das getan, warum mir diese frühe Geborgenheit entzogen?

Mit Wut und Empörung im Leib besuchte sie die Mutter im Pflegeheim, kurz nachdem sie das Dokument aufgestöbert hatte, welches ihr die ganze inzwischen vergessene Geschichte wieder vor Augen stellte. Mama, wie hast du es über dich gebracht? hätte sie nochmals fragen wollen. Aber sie blieb stumm. Denn heute hätte ihr die Mutter erst recht keine Antwort mehr geben können. Mama schien, im Bett sitzend, in sich zusammenzusinken, der Rükken rundete sich, und um die Lippen zitterte es. Plötzlich ergriff diese Mama ihre Hand, drückte einen Kuss darauf, und ihr war in diesem Moment, als habe die Mutter sie um Verzeihung bitten wollen. Wortlos zog sie die Decke hoch, bis zu Mamas Schultern, während aus dem unteren Stockwerk eine etwas unbeholfene Klaviermusik erklang. Frau M. spielt wieder, sagte die Pflegerin, die eben aus der Teeküche trat, sie liebt die alten Salonstücke: Heinzelmännchens Wachtparade, Rotkäppchen und St. Petersburger Schlittenfahrt; doch dieses Stück bringt sie nicht mehr zustande auf den Tasten, ihre Finger sind gichtig geworden, früher war sie eine recht gute Pianistin, die in ihrem Haus am See Konzertnachmittage gab, danach Kaffee, Lebkuchen und Nidle, so hat sie's mir erzählt.

Nochmals das Ganze von vorn, rief jetzt mein Vater, Viervierteltakt und keine Sechzehntel. Und auf dem Tisch stand noch immer das Teegeschirr, nach all den vielen Jahren mit mildem Staub überzogen (Ist es auch für das Brockenhaus vorgesehen? fragten die Räumungsmänner); auf der Wyborger Seite träumte sich ein blonder Knabe ins Kobalt-Netz der Lomonossow-Tassen hinein, weil er wieder einmal nicht einschlafen konnte, schöne Frauen fing er in diesem Netz, aber sie sollten auch lieb und klug sein; von fern erklangen jetzt die Schellen, Schimmel und Rappen galoppierten heran, ein Schlitten hielt, steigen Sie ein, meine Herrschaften, ich bin ein verschwiegener Kutscher, sehe, höre und weiss von nichts. Endlich, nach all den Ewigkeiten der Trennung, fanden sich die Hände von Mann und Frau. Luftmenschen sind wir, sagte der Mann, wir erwekken die Musik der Luft. Die Finger begannen zu spielen, glitten über die Haut wie über ein warmes, pulsierendes Instrument. Das Packeis schmolz, denn hatte nicht Papa, unzählige Jahre waren es her, von der Tauwetterperiode erzählt? Tatsächlich – Väterchen Frost und seine Gefährtinnen, die Schneeflokken, zogen sich zurück, winkten den beiden im Schlitten noch zu (auch Kater Oblomow hatte sich schliesslich mit majestätischer Trägheit eingefunden), aber diese hatten alles vergessen, die Zeit und den Schmerz. Der Schlitten hob ab vom Boden. Im Kuss entflogen sie in die Ewigkeit.

Epilog

Leer war der Platz an ihrer Seite, als sie im Mittagszug zurückreiste. Und er würde es für lange Zeit bleiben, nicht nur während der Stunden, da sie fuhr. Und da war auch kein Rentierfell, das elfenbein- und karamellfarben im Mondlicht schimmerte. Denn draussen gleisste das Licht des Tages, unbarmherzig, und sie sass allein, mit ihrem Körper, ihrer Seele. Kein Esztergom-Syndrom, bitte, flüsterte sie vor sich hin.

Hatte sie nicht einen Kuss gespürt, am linken Ohr? Nein, es war nur der Hauch jener Vorstellungen, die nun einander zu jagen begannen. Einmal trat der Arktisfahrer hinter dem Schaffner zur Tür des Zugsabteils herein, ein andermal sass er bereits neben ihr, dann wieder drohte er mit dem Zeigefinger und nannte sie Waschebnitza, Zauberin, und einmal hörte sie, wie eine Tasse zersprang, aber auch die Stimme, die sagte, jene Tage mit ihr würden unverloren sein.

Dabei hatte sich der Arktisfahrer längst wieder in seine Eiswüsten zurückgezogen. Für immer, fürchtete sie. Einmal noch hatte er die dreizehnte Tür geöffnet und sie einen Blick hineinwerfen lassen. Aber was sie sah, liess sie schnell wieder von der Schwelle wegtreten. So sass sie da, auf der Fahrt dorthin, wo sie eigentlich zu Hause hätte sein können, aber dieser Ort rückte um so mehr in die Ferne, je mehr sie sich ihm näherte. Sie glaubte, ihn nie erreichen zu können. Eine Unendlichkeit fühlte sie zwischen sich und dem Arktisfahrer, aber auch zwischen sich und jenem Mann, den sie immer Don Felice genannt hatte. Sie war nichts als ein Punkt, ein Pünktchen nur in jenem Universum, das nach Meinung der Astronomen vor allem Leere war, nur schwach besetzt von jenen Sternen, nicht dicht besät, wie man gemeinhin annahm.

Sie glaubte zu spüren, wie die Kälte an ihr hochkroch. Gut wäre es gewesen, wirklich gut, wenn jemand sie zugedeckt hätte. Aber da war niemand. Auch hielt der Zug schon seit einiger Zeit mitten auf der Strecke, und die Reisenden begannen zu tuscheln, bis über den Lautsprecher gemeldet wurde, dass der IC wegen Schneeverwehungen in seiner Weiterfahrt behindert sei und die Fahrgäste um Geduld gebeten würden.

Du triffst mit grosser Verspätung ein, sagte Don Felice, als er sie am Bahnhof abholte, ich habe mich gesorgt um dich. Zwar ist eine Meldung durchgegeben worden, aber man weiss ja nie, was alles hätte passieren können.

Ich war Jahre unterwegs, Felice, sagte sie, selbst die Arktis habe ich kennengelernt.

Übertreibe nicht, meine Liebe, genau besehen waren es vier Tage. Aber jetzt bist du wieder da, das ist die Hauptsache.

Und Felice umarmte sie, voller Liebe, wie sie gleichsam in Trance feststellte, und trug ihren Koffer.

War sie wirklich da? Das war die Frage. Über die Schwelle der Wohnung zu treten, hiess noch lange nicht, wirklich angekommen zu sein. Manchmal brauchte man dafür Jahre. Man musste sich durch das Alphabet hindurchbuchstabieren, mühsam wie ein Schüler, der seine täglichen Hausaufgaben löst. Bis man dann eines Tages, ganz vorsichtig, wieder sagen konnte: Da ist der Tisch, da ist der Schrank, hier wohne ich, hier arbeite ich, hier esse, schlafe und wache ich. Meine Lieben, ich glaube fast, ich bin wieder da. Aber man weinte oftmals jäh, und der kleine Sohn regte sich, fragte: Mama, geht es dir nicht gut? Und man drückte dieses Kind fest an sich, als ob man mit ihm zusammen jenen blonden einsamen Knaben auf der Wyborger Seite umarmen wollte, damit sein Blick sich nicht im Kobaltnetz der Lomonossow-Tassen verfange.

Manchmal, mitten in der Nacht, hörte sie die Stimme, hörte sie den Schrei.

Wer bist du? fragte sie.

Dein anderes Ich, lautete die Antwort.

Was für ein Ich?

Halb Engel, halb Tier, weisst du das nicht, du Zauberin du? Was bist du nicht alles in ein und derselben Person.

Da befielen sie Schrecken und Staunen über sich selbst, über all die Möglichkeiten, die ausgeschöpften und die unausgeschöpften. Und manchmal stieg sie mitternachts in den Schlitten, dachte darüber nach und hob dabei unmerklich vom Boden ab. Sie, die Luftfrau.

So war die Nacht ihr geheimes Reich. Aber selbst tagsüber wusste sie es: Eine Sehnsucht würde immer bleiben. Und sie hatte einen Namen, diese Sehnsucht.